271

MOLIÈRE

L'Avare

Comédie
1668

*Texte conforme
à l'édition des Grands Écrivains de la France.*

*Avec un tableau de concordances chronologiques,
une notice littéraire, des notes explicatives,
des questionnaires, des documents, des jugements,
une lecture thématique,
des remarques grammaticales et un lexique
établis par*

Henri PHILIBERT

*Ancien élève de l'École Normale Supérieure
Agrégé de grammaire*

Nouveaux
Classiques
illustrés
Hachette

Collection dirigée par Hubert Carrier

ÉVÉNEMENTS HISTORIQUES		LA VIE ET L'ŒUVRE DE MOLIÈRE	
1610	Mort d'Henri IV. Régence de Marie de Médicis.		
		1622	Naissance de Jean-Baptiste Poquelin (Molière), fils de Jean Poquelin, tapissier et valet de chambre du roi.
1624	Richelieu premier ministre.		
1636	Bataille de Corbie.	1636-1642	Molière élève du collège de Clermont, à Paris; il y a comme condisciple le prince de Conty.
1638	Naissance de Louis XIV.		
1642	Conspiration et exécution de Cinq-Mars.	1642	Molière accompagne le roi et la cour à Narbonne.
1643	Mort de Louis XIII. Régence d'Anne d'Autriche. Pouvoir du cardinal Mazarin.	1643	Molière, revenu à Paris, fonde, avec la famille Béjart, l'Illustre Théâtre.
		1646-1658	Pérégrinations de Molière et de sa troupe en province.
1648-1653	La Fronde.		
1653	Fouquet surintendant des Finances.	1653	L'Étourdi à Lyon.
		1655-1656	Molière, comédien du prince de Conty (Pézenas et Béziers).
		1656	Le Dépit amoureux à Béziers.
		1658	Retour de Molière à Paris. Installation dans la salle du Palais-Bourbon et commencement de la protection du roi.
1659	Traité des Pyrénées.	1659	Les Précieuses ridicules.
1660	Mariage de Louis XIV et de Marie-Thérèse.	1660	Sganarelle. Installation de Molière dans la salle du Palais-Royal.

I.S.B.N. 2.01.002876.7

© 1976 Librairie Hachette

ÉVÉNEMENTS LITTÉRAIRES	LA VIE INTELLECTUELLE, RELIGIEUSE ET ARTISTIQUE
1621 Naissance de La Fontaine.	
1623 Naissance de Pascal.	1625-1648 Période brillante de l'Hôtel de Rambouillet.
	1631 Fondation de la *Gazette* par Th. Renaudot.
	1633 Galilée abjure devant l'Inquisition.
	1635 *Fondation de l'Académie française.*
1636 *Le Cid* de Corneille.	
1637 *Le Discours de la Méthode* de Descartes.	1637 Début de la société des solitaires de Port-Royal.
1639 Naissance de Racine.	
1640 *Horace* et *Cinna* de Corneille.	1640 *Augustinus*, par Jansénius.
1641 *La Guirlande de Julie.*	
1643 *Le Menteur*, comédie de Corneille. *Polyeucte* de Corneille.	1643 Condamnation de l'*Augustinus*.
1649 *Le Grand Cyrus* de Mlle de Scudéry.	1648 Fondation de l'Académie de peinture et de sculpture. Mort du peintre Louis Le Nain.
1651 *Le Roman comique* de Scarron.	
1656-1657 Pascal : *Les Provinciales.*	1656-1659 Construction du château de Fouquet à Vaux.
	1657 Molière se lie d'amitié avec le peintre Mignard, qui fait son portrait.
	1658 Fondation de l'Académie des sciences.
1660 Le *Dictionnaire des Précieuses* de Somaize.	

ÉVÉNEMENTS HISTORIQUES	LA VIE ET L'ŒUVRE DE MOLIÈRE
1661 Majorité de Louis XIV. Fêtes de Vaux en l'honneur du roi.	
1661-1683 Ministère de Colbert.	1662 Mariage de Molière avec Armande Béjart.
	1662 *L'École des Femmes.*
	1663 Querelle de *L'École des Femmes.*
1664 Condamnation de Fouquet.	1664 *Le Tartuffe.* Interdiction de jouer la pièce.
	1664-1669 Bataille du *Tartuffe.*
1665 Colbert contrôleur général des Finances.	1665 *Dom Juan* (pièce interdite).
1666 Mort d'Anne d'Autriche. Mort du prince de Conty.	1666 *Le Misanthrope.* *Le Médecin malgré lui.*
	1667 Essai de représentation du *Tartuffe,* immédiatement interdite.
1668 Traité d'Aix-la-Chapelle.	1668 *Amphitryon.* **L'Avare.**
	1669 Reprise publique du *Tartuffe.* *Monsieur de Pourceaugnac* (à Chambord).
	1670 *Le Bourgeois gentilhomme* (à Chambord).
	1671 *Les Fourberies de Scapin.*
1672 Louis XIV s'installe à Versailles. Guerre de Hollande	1672 *Les Femmes savantes.*
	1673 *Le Malade imaginaire.*
	1673 (17 février). Mort de Molière.

ÉVÉNEMENTS LITTÉRAIRES	LA VIE INTELLECTUELLE, RELIGIEUSE ET ARTISTIQUE
	1661 Commencement de la construction du château de Versailles.
1662 Mort de Pascal.	1661 Lulli nommé surintendant de la musique.
1664 *La Thébaïde* de Racine (jouée par Molière).	1664 Dispersion des religieuses de Port-Royal de Paris.
1665 *Maximes* de La Rochefoucauld.	
1665 *Alexandre* de Racine (pièce retirée à Molière et donnée à l'Hôtel de Bourgogne).	
1666 *Satires* de Boileau.	1666 Fondation de l'Académie des Sciences.
1666 *Le Roman bourgeois* de Furetière.	
1667 *Andromaque* de Racine.	
1668 *Les Plaideurs*, comédie, de Racine.	
1668 *Fables* (1. I à VI) de La Fontaine.	
	1669 Mort du peintre Rembrandt.
1670 Édition posthume des *Pensées* de Pascal.	1670 Construction des Invalides par Mansart.
1671 Premières lettres de Mme de Sévigné.	
1672 *Bajazet* de Racine.	1672 Versailles est achevé.
1673 *Mithridate* de Racine.	

L'Avare dans l'évolution de la comédie au XVIIᵉ siècle.

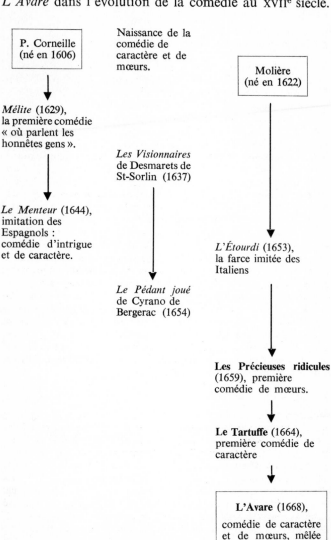

P. Corneille
(né en 1606)

Naissance de la
comédie de
caractère et de
mœurs.

Molière
(né en 1622)

Mélite (1629),
la première comédie
« où parlent les
honnêtes gens ».

Les Visionnaires
de Desmarets de
St-Sorlin (1637)

Le Menteur (1644),
imitation des
Espagnols :
comédie d'intrigue
et de caractère.

L'Étourdi (1653),
la farce imitée des
Italiens

Le Pédant joué
de Cyrano de
Bergerac (1654)

Les Précieuses ridicules
(1659), première
comédie de mœurs.

Le Tartuffe (1664),
première comédie de
caractère

L'Avare (1668),
comédie de caractère
et de mœurs, mêlée
de farce.

Notice sur L'Avare

1 Molière au moment de L'Avare

En 1668, Molière a quarante-six ans. Il est en pleine possession de son
métier depuis longtemps. Il a connu le succès et jouit depuis dix ans
de la protection du roi. Mais il traverse une période difficile de son
existence. Depuis quatre ans déjà (1664), il livre la bataille du *Tartuffe*
contre ses ennemis. Le parti dévot a réussi à empêcher la représentation
publique de la pièce. Molière, vivement attaqué par ses ennemis, jusque
dans sa vie privée, a été si abattu que sa troupe, en 1667, a cessé pendant
quelques semaines de jouer. Mais en 1668 Molière a repris courage
et donne, coup sur coup, *Amphitryon*, *George Dandin* et *L'Avare*.
Le caractère parfois un peu morose et chagrin de cette dernière pièce,
traversée, il est vrai, par quelques éclats de franche gaieté, peut-il s'expliquer par les déboires et les tristesses de la vie de Molière à cette époque ?
C'est une question qu'il est permis de se poser. La première représentation de *L'Avare* a eu lieu le 9 septembre 1668 au théâtre du Palais-Royal.
Molière jouait Harpagon, et Louis Béjart, le beau-frère de Molière
(qui était boiteux), jouait La Flèche. Ce sont les seuls renseignements
certains que nous ayons sur la distribution. Il semble que les premières
représentations n'aient pas connu un très grand succès auprès du public.
D'ailleurs elles ont été interrompues après la neuvième, pour ne reprendre
que le 14 décembre. On s'est demandé pourquoi cette pièce, dont la
réputation de chef-d'œuvre a été consacrée par la postérité, n'a pas eu
plus de succès à son début. Peut-être le public a-t-il été surpris de voir
une pièce en prose, alors que l'usage était bien établi d'écrire les grandes
comédies en vers. En tout cas, depuis la mort de Molière, *L'Avare*
a été une de ses pièces les plus jouées.

2 Les sources de L'Avare

Molière « prenait son bien où il le trouvait ». Ses premières pièces ont
été imitées de comédies italiennes. Pour *L'Avare*, il s'est inspiré d'une
pièce de Plaute, *Aulularia* (la marmite), qui date d'environ deux cents ans
avant Jésus-Christ. En quoi il se conformait à la méthode préconisée
par beaucoup de ses contemporains, l'imitation des Anciens. Mais la
différence entre la pièce antique et celle de Molière est profonde. En
effet le sujet n'est pas exactement le même. Le personnage principal
de la comédie de Plaute, Euclion, est un homme pauvre qui a trouvé
un trésor enfermé dans une marmite (de là vient le titre de la pièce).
Depuis qu'il a découvert ce trésor, craignant de le perdre et d'être volé,
il ne vit plus que dans une inquiétude continuelle. Donc Euclion n'est
pas un avare par tempérament, il devient avare par occasion, se trou-

vant brusquement riche. Son état d'esprit est bien plus comparable à celui du pauvre savetier de la fable de La Fontaine (VIII, 2) qu'à celui d'Harpagon, qui est un bourgeois très riche et très avare. La comédie de Plaute est uniquement une comédie d'intrigue, tandis que celle de Molière est une comédie de caractère et de mœurs. Il a peint l'avarice dans un milieu bourgeois du XVIIᵉ siècle, il en a montré toutes les conséquences sur le plan moral, la désorganisation de la vie familiale qui en résulte, et les traits qu'il a donnés à son avare sont d'une vérité humaine si profonde qu'il a créé un type. L'originalité de Molière est donc entière, en dépit des quelques scènes de Plaute qu'il a imitées d'assez près, scènes que l'on trouvera dans les *Documents*, pp. 126-129. En outre, Molière a imité, pour certains détails, deux scènes d'une comédie contemporaine : *La Belle Plaideuse* de Boisrobert (1655). Les fragments de ces deux scènes dont Molière s'est inspiré sont donnés également dans les *Documents*, pp. 129-130.

3 La mise en scène

Molière n'était pas seulement l'auteur de la pièce, mais aussi le metteur en scène et l'acteur principal. Il savait par expérience quels mots, quels traits comiques portent sur le public. Il ne faut donc jamais oublier que ce texte n'était pas destiné à la lecture. Il ne faut pas le lire comme on lirait un roman, mais se représenter à chaque instant la mise en scène et le jeu des acteurs.

Molière nous y aide en indiquant certains jeux de scène (en italique dans le texte). Les autres, il nous faut les imaginer, pour que la pièce redevienne vivante, à nos yeux, comme si nous en étions les spectateurs.

4 Analyse méthodique de l'action

ACTE I

SCÈNE 1 : **Exposition : première intrigue : Valère et Élise.** Conversation entre deux jeunes gens : Valère et Élise. Élise est la fille d'un riche bourgeois très avare ; elle vit chez son père veuf, avec son frère. Valère est un gentilhomme qui a sauvé la vie à la jeune fille, au moment où elle allait se noyer, et, devenu amoureux d'elle, il s'est introduit chez son père en qualité d'intendant. Élise répond à ses sentiments et les deux jeunes gens se sont secrètement fiancés. Mais Élise redoute l'opposition de son père. Valère, pour se faire bien voir de lui, a pris le parti de flatter constamment l'avarice de son maître.

SCÈNE 2 : **Exposition : deuxième intrigue amoureuse : Cléante et Mariane.** Cléante, le frère d'Élise, un beau jeune homme, fils prodigue de l'avare, fait confidence à sa sœur de la passion qu'il a conçue pour une jeune fille, appelée Mariane, qui vit seule avec une vieille mère, d'une condition très modeste. Cléante voudrait épouser cette jeune fille, dont il est aimé, mais il redoute, lui aussi, l'opposition de son père.

SCÈNE 3 : **Une scène d'avarice : la cassette.** Pendant qu'Élise fait à son tour, dans les coulisses, ses confidences à son frère, nous assistons à une scène où Harpagon, l'avare, chasse brutalement, après l'avoir fouillé, le valet de son fils, La Flèche. Harpagon redoute sans cesse d'être volé, parce qu'il a enterré dans son jardin une cassette contenant une grosse somme en pièces d'or.

SCÈNE 4 : **Première péripétie : rivalité du père et du fils.** Conversation entre Harpagon et ses deux enfants. Il leur reproche leurs dépenses excessives et parle de les marier avec de vieilles personnes très riches. Quant à lui, il s'est mis en tête d'épouser une jeune fille, qui est justement Mariane, la fiancée de son fils. Cléante, atterré par cette nouvelle, ne révèle pas à son père qu'il est son rival. Élise ne lui dit rien non plus de ses projets, mais refuse énergiquement d'accepter le vieil époux que son père lui destine.

SCÈNE 5 : **Sans dot!** Harpagon prend Valère comme arbitre de son différend avec sa fille. N'est-ce pas avantageux de la marier à un homme qui la prendra sans dot? Valère, embarrassé, essaie de gagner du temps, mais feint d'abonder dans le sens de son maître et d'approuver son projet.

ACTE II

SCÈNE 1 : **Un usurier intraitable.** Cléante cherche à faire un emprunt de quinze mille francs gagé sur la fortune de son père. La Flèche lui lit le mémoire de l'usurier, qui demande un taux exorbitant et prétend inclure dans le prêt, pour une partie de la somme, un amas d'objets hétéroclites et sans valeur.

SCÈNE 2 : **Rencontre imprévue.** Au moment où Cléante s'indigne contre de telles conditions et s'apprête à les accepter cependant, voici qu'apparaît l'usurier lui-même, accompagné du courtier qui a servi d'intermédiaire, et cet usurier n'est autre qu'Harpagon. Le père et le fils s'adressent alors mutuellement de violents reproches.

SCÈNES 3 ET 4 : **Deux fripons.** Entrée en scène de Frosine, une femme d'intrigue chargée d'arranger le mariage d'Harpagon avec Mariane. Elle déclare à La Flèche qu'elle espère tirer une bonne récompense de sa négociation.

SCÈNE 5 : **Harpagon et l'entremetteuse; les illusions du vieillard amoureux.** Frosine flatte habilement Harpagon et lui dit que son affaire est arrangée : la mère de Mariane consent au mariage; d'ailleurs la jeune fille a un goût particulier pour les vieillards. Harpagon s'inquiète de la dot. Mais Frosine essaie de le persuader que la plus avantageuse des dots est constituée par les habitudes d'économie que Mariane apportera dans son ménage. Harpagon n'est pas bien convaincu, mais sa passion pour la jeune fille emporte ce scrupule. Cependant il reste sourd aux sollicitations de Frosine et ne lui donne aucun salaire.

ACTE III

SCÈNE 1 : **Préparatifs d'un grand « souper »; maître Jacques, le cocher-cuisinier.** Harpagon veut offrir un grand « souper », à la fois pour son mariage avec Mariane et celui de sa fille avec le seigneur Anselme, le riche époux qu'il lui destine. Il donne ses instructions à ses enfants et à ses domestiques; il leur prêche la plus stricte économie. L'intendant Valère, comme d'habitude, renchérit sur les paroles de son maître. Le cuisinier, maître Jacques, est en même temps cocher, car le riche bourgeois Harpagon a réduit de moitié son train de maison. A la fin de la scène, maître Jacques, domestique de confiance, qui aime son maître à sa façon, lui dit ses vérités et lui reproche vertement son avarice. Pour prix de sa franchise, il reçoit des coups de bâton.

SCÈNE 2 : **Maître Jacques et Valère.** Maître Jacques, jaloux de Valère, veut lui rendre les coups de bâton qu'il a reçus; il fait le brave; mais comme en réalité il est poltron, il ne réussit qu'à être battu une deuxième fois; furieux, il promet de se venger de l'intendant.

SCÈNES 3 ET 4 : **Une fiancée bien irrésolue.** Frosine introduit Mariane dans la maison d'Harpagon. La jeune fille est encore bien hésitante; elle a accepté par dévouement pour sa mère d'épouser un vieillard riche, mais elle est très éprise du jeune homme qui lui fait la cour.

SCÈNES 5 ET 6 : **Galanteries de vieillard amoureux.** Harpagon présente à Mariane ses compliments dans une langue d'une préciosité outrée et ridicule. La jeune fille trouve le vieillard odieux et repoussant. A ce moment paraît Cléante, et Mariane stupéfaite reconnaît dans le fils d'Harpagon le jeune homme qu'elle aime.

SCÈNE 7 : **L'audace de Cléante.** Cléante et Mariane échangent des paroles à double sens : le jeune homme fait la cour à la jeune fille sans que son père s'en doute. Puis il pousse l'audace jusqu'à offrir à Mariane, au nom de son père, un diamant que celui-ci porte au doigt. Harpagon est furieux, mais n'ose reprendre le diamant.

SCÈNES 8 ET 9 : **Une chute spectaculaire.** Harpagon court à ses affaires (on lui apporte de l'argent), non sans avoir fait, dans sa précipitation, une chute spectaculaire (comique de guignol). Les autres personnages vont goûter dans le jardin.

ACTE IV

SCÈNE 1 : **Plan de campagne.** Revenus du jardin, Cléante et Mariane cherchent vainement un moyen d'arranger leurs affaires et font appel à l'ingéniosité de Frosine, qui se déclare prête à les servir.

SCÈNE 2 : **Soupçons.** Harpagon, revenu brusquement, surprend Cléante en train de baiser la main de sa future belle-mère; il en conçoit des soupçons.

SCÈNE 3 : **Triomphe de la ruse; aveux de Cléante.** Harpagon, seul avec Cléante, a recours à la ruse pour découvrir la vérité sur les rapports de son fils avec Mariane. Il feint de vouloir lui donner la jeune fille en mariage. Cléante donne dans le panneau et dit la vérité à son père. Celui-ci alors s'emporte contre son fils et lui ordonne de renoncer à Mariane, qu'il désire épouser lui-même, mais Cléante tient tête à son père.

SCÈNE 4 : **Un singulier arbitre et une trêve trompeuse.** Intervention de maître Jacques, qu'Harpagon et Cléante acceptent comme arbitre. Le valet, leur parlant séparément, fait croire à chacun d'eux que l'autre a cédé et les quitte fort contents de cette réconciliation.

SCÈNE 5 : **Reprise des hostilités.** Mais Harpagon et Cléante ne tardent pas à se rendre compte que leur querelle reste entière, puisque aucun d'eux n'a renoncé à Mariane. Le conflit éclate avec violence.

SCÈNE 6 : **Le vol de la cassette.** La Flèche apprend à Cléante qu'il s'est emparé de la cassette qu'Harpagon avait enterrée dans le jardin.

SCÈNE 7 : **Un monologue tragi-comique.** Le désespoir de l'Avare éclate dans un monologue, scène de colère, de douleur et presque de folie.

ACTE V

SCÈNE 1 : **L'enquête.** Harpagon revient, accompagné d'un commissaire, qui est chargé de faire une enquête sur le vol.

SCÈNE 2 : **La vengeance de maître Jacques.** Maître Jacques est interrogé et, pour se venger de Valère, l'accuse d'être le voleur de la cassette.

SCÈNE 3 : **Un quiproquo : Élise ou la cassette?** Valère arrive, et Harpagon lui reproche son « crime ». Persuadé qu'il s'agit de ses fiançailles clandestines avec Élise, Valère avoue aussitôt et proteste de l'honnêteté de ses intentions. Le quiproquo se prolonge fort longtemps, et quand enfin il se dissipe, Harpagon traite Valère à la fois de voleur et de séducteur.

SCÈNE 4 : **Un père dénaturé.** Élise supplie son père de ne pas la mettre au couvent, comme il l'en a menacée, et de la marier à Valère. Mais Harpagon ne veut rien entendre et lui répond avec dureté!

SCÈNE 5 : **Reconnaissances miraculeuses : « embrassez-moi, mes enfants! »** Arrivée du seigneur Anselme. Valère, pour montrer qu'il n'est pas un aventurier, se décide à déclarer qu'il est le fils de dom Thomas d'Alburcy, un noble napolitain exilé, et qu'il a été séparé de ses parents à l'âge de sept ans. D'après les précisions qu'il donne dans son récit, Mariane reconnaît en lui son frère. Alors Anselme révèle, lui aussi, sa véritable identité! C'est lui qui est dom Thomas d'Alburcy, et il embrasse ses enfants miraculeusement retrouvés.

SCÈNE 6 : **Un chantage : « ma chère cassette! »** Après cette série de reconnaissances romanesques, arrive Cléante, qui se livre à un chantage auprès d'Harpagon : on lui rendra sa cassette, s'il donne Mariane en mariage à son fils. Harpagon y consent, ainsi qu'au mariage de Valère et d'Élise, tout à la joie d'avoir retrouvé sa chère cassette.

5   Les personnages

HARPAGON (soixante ans) **bourgeois très riche, mais très avare,** qui a réduit de moitié son train de maison : il n'a plus que cinq domestiques et un intendant. Il continue à accroître sa fortune par l'usure (en prêtant à un taux plus élevé que le taux légal). Veuf, il vit avec ses deux enfants non mariés : Cléante et Élise. Sa passion dominante est l'amour de l'argent, mais on va le voir en proie à une deuxième passion : un amour sénile pour une jeune fille, Mariane. Harpagon est habillé d'une façon très sévère, en noir. Son haut-de-chausses (culotte) est attaché à son pourpoint (veste) par des aiguillettes, sortes de lacets qui ne sont pas recouverts de rubans, comme c'était alors la mode. Il ne porte pas de perruque, il a autour du cou une fraise, vaste collerette plissée, comme à l'époque d'Henri IV.

CLÉANTE (vingt-deux ans)

fils d'Harpagon, fils prodigue de l'avare. Il souffre d'être privé d'argent par son père et cherche à en emprunter. Il s'est pris d'amour pour Mariane, qu'il désire épouser. Cléante n'est pas un révolté par tempérament, mais c'est un jeune homme passionné, qui irait jusqu'à la révolte pour réaliser ses désirs. Ardent, impulsif, optimiste, capable d'un coup de tête, de cœur généreux, mais bien décidé à obtenir par tous les moyens le bonheur qu'il estime lui être dû.

Cléante est habillé comme les jeunes élégants de l'époque, c'est-à-dire très somptueusement, avec une perruque blonde et des flots de rubans répandus un peu partout.

ÉLISE (vingt ans)

fille d'Harpagon. Jeune fille « bien élevée », mais amoureuse de Valère, au point d'avoir eu la hardiesse de lui promettre sa main, sans le consentement de son père. Elle est tourmentée par sa conscience, impatiente d'obtenir de son père l'autorisation d'épouser l'homme qu'elle aime ; mais elle est capable, en cas d'opposition, de tenir tête à Harpagon, bien décidée à défendre son bonheur. Costume élégant.

VALÈRE (vingt-sept ans)

fils d'Anselme, qui, comme lui, cache son identité sous un faux nom. Son père est en réalité un noble napolitain exilé, dont il a été séparé à l'âge de sept ans. Devenu amoureux d'Élise, Valère s'est fait engager comme intendant par Harpagon, en attendant d'avoir pu retrouver sa famille. Homme d'honneur, il souffre de la situation fausse où il s'est placé, obligé de flatter sans cesse l'avarice de son maître et de jouer un rôle d'hypocrite. Ses sentiments passionnés se cachent sous une froideur un peu compassé. Costume sobre : Valère n'est pas habillé en gentilhomme, mais en intendant.

MARIANE (vingt-deux ans)

fille d'Anselme et sœur de Valère, mais on ne l'apprendra qu'à la fin de la pièce. Au début, on sait seulement que Mariane est aimée de Cléante, qu'elle vit seule avec sa vieille mère, de condition très modeste. Mariane est une jeune fille tendre, de caractère faible, irrésolue ; elle a accepté d'épouser un riche vieillard, Harpagon, pour venir en aide à sa mère ; mais, très éprise de Cléante (dont elle ignore qu'il est le fils d'Harpagon), elle regrette amèrement de s'être ainsi engagée, et souhaite que le sort lui soit favorable, sans rien entreprendre toutefois pour l'y aider. Costume simple.

ANSELME (en réalité dom Thomas d'Alburcy) (cinquante ans) riche

seigneur napolitain exilé : croyant morts sa femme et ses enfants, il se prépare à se remarier, en épousant Élise. Il est noble et généreux. Le costume d'Anselme est somptueux, avec une note d'exotisme. A la Comédie-Française on lui met parfois de gros anneaux d'or aux oreilles.

FROSINE, femme d'intrigue, qui vit de son adresse, particulièrement habile à arranger les mariages.

MAITRE SIMON, courtier (c'est-à-dire : intermédiaire, homme d'affaires).

MAITRE JACQUES, cuisinier et cocher d'Harpagon, serviteur de confiance, qui aime son maître à sa façon, mais a son franc parler. Assez brave homme, mais fanfaron et poltron. Maître Jacques porte la casaque de cocher par-dessus la veste blanche du cuisinier.

LA FLÈCHE, valet de Cléante, malicieux et fripon.

DAME CLAUDE, servante d'Harpagon, domestique de confiance; elle a assisté, comme unique témoin, à la promesse de mariage signée par Valère et Élise.

BRINDAVOINE, LA MERLUCHE : laquais d'Harpagon. Leurs habits, pourtant en mauvais état, sont recouverts de « souquenilles » destinées à les protéger.

LE COMMISSAIRE (en uniforme noir) et son clerc.

Bibliographie

ALFRED SIMON, *Molière par lui-même*, Paris, Le Seuil, 1957.

RENÉ JASINSKI, *Molière*, (coll. Connaissance des Lettres), Hatier, 1970.

Discographie

MOLIÈRE, *L'Avare*. Enregistrement intégral. Coll. « Vie du théâtre ». Encyclopédie sonore Hachette.

MOLIÈRE, *L'Avare*. Deux musicassettes. Enregistrement intégral en stéréophonie. Grand prix national de l'Académie du disque français. Production sonore Hachette.

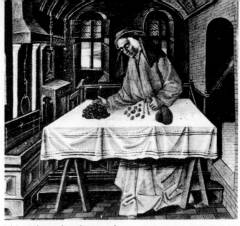

L'Avarice, vice de tous les temps.
J. Le Grant, miniature du XVe siècle.
Musée Condé-Chantilly.

Les changeurs, par Quentin Metsys.
Peinture du XVIe siècle. *Musée de Nancy.*

L'argent au XVIIᵉ siècle : L'usurier,
par Le Paultre.

Le jeu au XVIIᵉ siècle : Le jeu de
lansquenet par Sébastien Leclerc.
B. N. Cabinet des Estampes.

L'argent au XVIIᵉ siècle : Le changeur, par Picent. *Musée des arts décoratifs*.

L'avare qui a perdu son trésor, par Gustave Doré (1868), illustration pour la fable de La Fontaine.

Acte II, sc. 1. — La Flèche : ▶
Écoutez le mémoire.
Cléante : Henri Piegay. La Flèche :
Claude Nicot. Théâtre de l'Atelier, 1962.

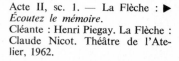

◀ Acte I, sc. 3. — Harpagon :
Attends, ne m'emportes-tu rien?
illustration de Desenne, frontispice
de l'édition de 1825.

◀ La même réplique en 1962 à
la Comédie-Française.
Harpagon : Georges Chamarat.
La Flèche : J.-P. Roussillon.

◀ Acte I, sc. 4. — Élise : *Je vous
demande pardon, mon père.*
Harpagon : *Je vous demande pardon,
ma fille.*
Comédie-Française, 1962. Harpagon : Georges Chamarat. — Élise :
G. Casile.

Acte III, sc. 1. — Harpagon : ▶
Souviens-toi de m'écrire ces mots.
Représentation au « Grenier de
Toulouse » (juin 1954).

Acte III, sc. 7. Cléante : *Il est vrai que mon père, Madame, ne peut pas faire un plus beau choix...*
Harpagon : J. Vilar. Mariane : Ch. Minazzoli. Cléante : J.-Pierre Cassel. Festival du Marais. Hôtel de Rohan.

Acte III, sc. 7. — Dernière réplique. Mariane : Élisabeth Alain. Harpagon : J. Dufilho. Théâtre de l'Atelier, 1962.

1

1 Denis d'Inès : L'Avare.
Comédie-Française.

2 Charles Dullin : L'Avare.
Théâtre de l'Atelier.

3 Georges Chamarat : L'Avare.
Comédie-Française, 1962.

4 Jacques Mauclair : L'Avare.
Palais-Royal, 1963.

3

2

4

Liste des personnages

HARPAGON
l'Avare.

CLÉANTE
fils d'Harpagon.

ÉLISE
fille d'Harpagon.

VALÈRE
intendant d'Harpagon *pris la position de servant parce qu'il aime Élise*
(en réalité fils de Dom Thomas d'Alburcy).

MARIANE
fille de Dom Thomas d'Alburcy.

ANSELME
en réalité Dom Thomas d'Alburcy.

FROSINE
femme d'intrigue.

MAÎTRE SIMON
courtier.

MAÎTRE JACQUES
cuisinier et cocher d'Harpagon.

LA FLÈCHE
valet de Cléante.

DAME CLAUDE
servante d'Harpagon.

BRINDAVOINE
LA MERLUCHE
laquais d'Harpagon.

LE COMMISSAIRE
et son clerc.

Le théâtre représente une pièce de la maison d'Harpagon, avec une table, des sièges, un coffre, un secrétaire (ameublement cossu). Une porte donne sur la rue, une autre sur le reste de l'appartement; au fond, une porte-fenêtre donne sur le jardin.

L'Avare

Comédie
1668

ACTE I

SCÈNE PREMIÈRE : VALÈRE, ÉLISE

VALÈRE / Hé quoi? charmante Élise[1], vous devenez mélancolique, après les obligeantes assurances que vous avez eu
la bonté de me donner de votre foi[2]? Je vous vois soupirer,
hélas! au milieu de ma joie! Est-ce du regret, dites-moi, de
5 m'avoir fait heureux, et vous repentez-vous de cet engagement[3] où[4] mes feux[5] ont pu vous contraindre?
ÉLISE / Non, Valère, je ne puis pas me repentir de tout ce
que je fais pour vous. Je m'y sens entraîner par une trop
douce puissance, et je n'ai pas même la force de souhaiter
10 que les choses ne fussent pas[6]. Mais, à vous dire vrai, le
succès[7] me donne de l'inquiétude; et je crains fort de vous
aimer un peu plus que je ne devrais.
VALÈRE / Hé! que pouvez-vous craindre, Élise, dans les
bontés[8] que vous avez pour moi?

---

1 *charmante Élise :* au moment où le rideau se lève, la conversation est déjà commencée entre les deux personnages.
2 *de votre foi :* Élise a assuré Valère de son amour, et cette
assurance l'a obligé, c'est-à-dire : l'a rempli de joie.
3 *engagement :* une promesse de mariage, que Valère et
Élise ont signée.
4 *où :* auquel (emploi fréquent dans la langue classique).
5 *mes feux :* mon amour, dans le langage de la galanterie du
temps (style précieux).
6 *ne fussent pas :* ne soient pas arrivées au point où elles
sont maintenant. Si Élise avait dit : « ne soient pas », on
aurait pu comprendre que le souhait portait sur l'avenir.
7 *le succès :* le résultat, bon ou mauvais (sens étymologique).
8 *dans les bontés :* parce que vous avez des bontés.

Elle craint son père et la possibilité qu'il la trahira un jour

lang littéraire

15 ÉLISE / Hélas! cent choses à la fois : l'emportement d'un père, les reproches d'une famille, les censures du monde[9]; mais plus que tout, Valère, le changement de votre cœur, et cette froideur criminelle dont ceux de votre sexe payent le plus souvent les témoignages trop ardents d'une inno-
20 cente amour[10].

VALÈRE / Ah! ne me faites pas ce tort de juger de moi par les autres. Soupçonnez-moi de tout, Élise, plutôt que de manquer à ce que je vous dois : je vous aime trop pour cela, et mon amour pour vous durera autant que ma vie.

25 ÉLISE / Ah! Valère, chacun tient les mêmes discours. Tous les hommes sont semblables par les paroles; et ce n'est que les actions qui les découvrent[11] différents.

VALÈRE / Puisque les seules actions font connaître ce que nous sommes, attendez donc au moins à juger[12] de mon
30 cœur par elles, et ne me cherchez point des crimes dans les injustes craintes[13] d'une fâcheuse prévoyance. Ne m'assas-sinez point[14], je vous prie, par les sensibles coups d'un soup-çon outrageux, et donnez-moi le temps de vous convaincre, par mille et mille preuves, de l'honnêteté de mes feux.

35 ÉLISE / Hélas! qu'avec facilité on se laisse persuader par les personnes que l'on aime! Oui, Valère, je tiens[15] votre cœur incapable de m'abuser. Je crois que vous m'aimez d'un véritable amour, et que vous me serez fidèle; je n'en veux point du tout douter, et je retranche[16] mon chagrin aux
40 appréhensions du blâme qu'on pourra me donner.

VALÈRE / Mais pourquoi cette inquiétude?

ÉLISE / Je n'aurais rien à craindre, si tout le monde vous voyait des yeux dont je vous vois, et je trouve en votre per-

---

9 *les censures du monde* : le blâme que les personnes du monde, étrangères à la famille, pourraient m'adresser.

10 *innocente amour* : aujourd'hui ce mot n'est féminin qu'au pluriel.

11 *découvrent* : font apparaître.

12 *à juger* : pour juger.

13 *dans les injustes craintes* : en concevant d'injustes craintes.

14 *ne m'assassinez point* : ne me tourmentez pas (exagération habituelle dans le style précieux).

15 *je tiens* : je crois.

16 *je retranche* : je réduis, je borne.

sonne de quoi avoir raison aux choses[17] que je fais pour
45 vous. Mon cœur, pour sa défense, a tout votre mérite,
appuyé du secours d'une reconnaissance où[18] le Ciel m'engage envers vous. Je me représente à toute heure ce péril
étonnant[19] qui commença de nous offrir aux regards l'un
de l'autre; cette générosité surprenante qui vous fit risquer
50 votre vie, pour dérober la mienne à la fureur des ondes;
ces soins pleins de tendresse que vous me fîtes éclater[20]
après m'avoir tirée de l'eau, et les hommages assidus de
cet ardent amour que ni le temps ni les difficultés n'ont
rebuté, et qui, vous faisant négliger et parents et patrie[21],
55 arrête vos pas en ces lieux, y tient en ma faveur votre fortune[22] déguisée, et vous a réduit, pour me voir, à vous revêtir
de l'emploi de domestique[23] de mon père. Tout cela fait
chez moi[24] sans doute un merveilleux effet; et c'en est assez
à mes yeux pour me justifier[25] l'engagement où[26] j'ai pu
60 consentir; mais ce n'est pas assez peut-être pour le justifier
aux autres, et je ne suis pas sûre qu'on entre dans mes sentiments[27].

VALÈRE / De tout ce que vous avez dit, ce n'est que par
mon seul amour que je prétends auprès de vous mériter
65 quelque chose; et quant aux scrupules que vous avez, votre
père lui-même ne prend que trop de soin de vous justifier
à tout le monde[28]; et l'excès de son avarice, et la manière
austère dont il vit avec ses enfants pourraient autoriser des

---

17 *aux choses :* dans les choses (dans la langue classique les
prépositions *à* et *de* tendaient à remplacer toutes les autres).
18 *où :* à laquelle.
19 *étonnant :* effrayant, comme un coup de tonnerre (sens
fort, fréquent au XVIIᵉ siècle).
20 *éclater :* témoigner avec éclat.
21 *patrie :* on apprendra plus tard que Valère est italien.
22 *fortune :* condition sociale. On verra plus loin que Valère
est noble.
23 *domestique :* attaché à la maison (sens étymologique).
Valère est un intendant, ce n'est pas un valet. (De même
La Bruyère était « domestique » chez le prince de Condé).
24 *chez moi :* dans mon esprit.
25 *me justifier :* justifier à mes yeux.
26 *où :* auquel.
27 *sentiments :* qu'on approuve ma manière de voir.
28 *à tout le monde :* aux yeux de tout le monde.

choses plus étranges. Pardonnez-moi, charmante Élise, si
70 j'en parle ainsi devant vous. Vous savez que sur ce chapitre
on n'en peut pas dire de bien. Mais enfin, si je puis, comme
je l'espère, retrouver mes parents, nous n'aurons pas beaucoup de peine à nous le rendre favorable. J'en attends des
nouvelles avec impatience, et j'en irai chercher moi-même,
75 si elles tardent à venir.

ÉLISE / Ah! Valère, ne bougez[29] d'ici, je vous prie; et songez
seulement à vous bien mettre dans l'esprit de mon père.

VALÈRE / Vous voyez comme je m'y prends, et les adroites
complaisances qu'il m'a fallu mettre en usage pour m'intro-
80 duire à son service; sous quel masque de sympathie et de
rapports de sentiments[30] je me déguise pour lui plaire, et
quel personnage je joue tous les jours avec lui, afin d'acquérir
sa tendresse. J'y fais des progrès admirables; et j'éprouve[31]
que pour gagner les hommes, il n'est point de meilleure voie
85 que de se parer à leurs yeux de leurs inclinations, que de

---

29 *ne bougez :* ne bougez pas (omission de *pas* fréquente au
     XVIIe siècle, dans une défense).
30 *rapports de sentiments :* conformité de sentiments, accord.
31 *j'éprouve :* je me rends compte, par expérience.

QUESTIONS en vue de l'explication de la scène 1 :

1 *C'est la première scène. Il faut immédiatement susciter la
curiosité du spectateur. Comment Molière s'y prend-il pour nous
intéresser à ses personnages ? Quels sont les éléments romanesques
de l'histoire d'amour de Valère et d'Élise ?*

2 *Cette scène est une partie de l'exposition, destinée à renseigner
les spectateurs sur ce qui s'est passé avant que le rideau se lève.
Recherchez les renseignements nécessaires pour comprendre
l'action de la pièce, qui sont fournis par cette première scène.*

3 *Dites comment vous apparaît le personnage de Valère :
a) Quel langage emploie-t-il pour faire sa cour à Élise ?
b) Étudiez le passage, vers la fin, qui commence par : « vous
voyez comme je m'y prends... » : quelle sorte d'homme peut
parler ainsi ?*

4 *Dites ce que cette scène nous apprend du caractère d'Élise.
Comment vous la représentez-vous ?*

donner dans[32] leurs maximes, encenser[33] leurs défauts, et
applaudir à ce qu'ils font. On n'a que faire d'avoir peur de
trop charger la complaisance; et la manière dont on les
joue a beau être visible, les plus fins toujours sont de grandes
90 dupes du côté de la flatterie; et il n'y a rien de si impertinent[34] et de si ridicule qu'on ne fasse avaler lorsqu'on
l'assaisonne en louange[35]. La sincérité souffre un peu au
métier[36] que je fais; mais quand on a besoin des hommes,
il faut bien s'ajuster[37] à eux; et puisqu'on ne saurait les
95 gagner que par là, ce n'est pas la faute de ceux qui flattent,
mais de ceux qui veulent être flattés.

ÉLISE / Mais que ne tâchez-vous aussi à gagner l'appui de
mon frère, en cas que[38] la servante s'avisât de révéler notre
secret?

100 VALÈRE / On ne peut pas ménager l'un et l'autre; et l'esprit
du père et celui du fils sont des choses si opposées, qu'il est
difficile d'accommoder ces deux confidences[39] ensemble.
Mais vous, de votre part[40], agissez auprès de votre frère, et
servez-vous de l'amitié qui est entre vous deux pour le jeter
105 dans nos intérêts. Il vient, je me retire. Prenez ce temps[41]
pour lui parler; et ne lui découvrez de notre affaire que ce
que vous jugerez à propos.

ÉLISE / Je ne sais si j'aurai la force de lui faire cette confidence.

---

32 *donner dans :* approuver.

33 *encenser :* flatter (au sens propre : donner de l'encens,
comme pour adorer une divinité).

34 *impertinent :* non pas : insolent, mais : qui ne convient pas,
insensé (sens étymologique).

35 *assaisonne en louange :* image : la louange est un assaisonnement qui fait avaler (accepter) les choses les plus imperti-
nentes (insensées).

36 *au métier :* dans le métier.

37 *s'ajuster à eux :* s'adapter à leur caractère.

38 *en cas que :* pour le cas où.

39 *ces deux confidences :* confiances. Le sens est : il est difficile
de gagner à la fois la confiance du père et celle du fils. Au
contraire, confidence a le sens actuel au dernier mot de la
scène.

40 *de votre part :* de votre côté.

41 *prenez ce temps :* profitez de cette occasion.

SCÈNE II : CLÉANTE, ÉLISE

CLÉANTE / Je suis bien aise de vous trouver seule, ma sœur; et je brûlais de vous parler, pour m'ouvrir à vous d'un secret.

ÉLISE / Me voilà prête à vous ouïr, mon frère. Qu'avez-vous
5 à me dire?

CLÉANTE / Bien des choses, ma sœur, enveloppées dans un mot : j'aime[1].

ÉLISE / Vous aimez?

CLÉANTE / Oui, j'aime. Mais avant que d'aller plus loin, je
10 sais que je dépends d'un père, et que le nom de fils me soumet à ses volontés; que nous ne devons point engager notre foi sans le consentement de ceux dont nous tenons le jour; que le Ciel les a faits les maîtres de nos vœux, et qu'il nous est enjoint de n'en disposer que par leur conduite[2]; que n'étant
15 prévenus[3] d'aucune folle ardeur, ils sont en état de se tromper bien moins que nous, et de voir beaucoup mieux ce qui nous est propre; qu'il en[4] faut plutôt croire les lumières de leur prudence[5] que l'aveuglement de notre passion; et que l'emportement de la jeunesse nous entraîne le plus souvent dans
20 des précipices fâcheux. Je vous dis tout cela, ma sœur, afin que vous ne vous donniez pas la peine de me le dire; car enfin mon amour ne veut rien écouter, et je vous prie de ne me point faire de remontrances.

ÉLISE / Vous êtes-vous engagé, mon frère, avec celle que
25 vous aimez?

CLÉANTE / Non, mais j'y suis résolu; et je vous conjure encore une fois de ne me point apporter de raisons pour m'en dissuader.

ÉLISE / Suis-je, mon frère, une si étrange personne?

---

1 *j'aime :* sans complément d'objet : je suis amoureux.
2 *conduite :* direction.
3 *prévenus :* disposés d'avance (dans un sens favorable ou défavorable).
4 *en :* à ce sujet.
5 *les lumières de leur prudence :* la clairvoyance que leur donne leur sagesse.

30   CLÉANTE / Non, ma sœur; mais vous n'aimez pas : vous
     ignorez la douce violence qu'un tendre amour fait sur nos
     cœurs; et j'appréhende[6] votre sagesse.

     ÉLISE / Hélas! mon frère, ne parlons point de ma sagesse.
     Il n'est personne qui n'en manque, du moins une fois en
35   sa vie; et si je vous ouvre mon cœur, peut-être serai-je à
     vos yeux bien moins sage que vous.

     CLÉANTE / Ah! plût au Ciel[7] que votre âme, comme la
     mienne...

     ÉLISE / Finissons auparavant votre affaire, et me dites[8] qui
40   est celle que vous aimez.

     CLÉANTE / Une jeune personne qui loge depuis peu en ces
     quartiers, et qui semble être faite pour donner de l'amour à
     tous ceux qui la voient. La nature, ma sœur, n'a rien formé
     de plus aimable; et je me sentis transporté dès le moment
45   que je la vis. Elle se nomme Mariane, et vit sous la conduite
     d'une bonne femme[9] de mère, qui est presque toujours
     malade, et pour qui cette aimable fille a des sentiments
     d'amitié[10] qui ne sont pas imaginables. Elle la sert, la
     plaint, et la console avec une tendresse qui vous toucherait
50   l'âme. Elle se prend[11] d'un air[12] le plus charmant du monde
     aux choses qu'elle fait, et l'on voit briller mille grâces en
     toutes ses actions : une douceur pleine d'attraits, une
     bonté toute engageante, une honnêteté[13] adorable, une...
     Ah! ma sœur, je voudrais que vous l'eussiez vue.

55   ÉLISE / J'en vois[14] beaucoup, mon frère, dans les choses que

---

6   *j'appréhende* : je redoute.
7   *plût au Ciel* introduit un regret : car Cléante, ne connaissant
    pas le secret de sa sœur, regrette qu'elle ne soit pas amou-
    reuse, elle aussi.
8   *me dites* : dites-moi (place du pronom habituelle au
    XVIIᵉ siècle, avec un impératif).
9   *bonne femme* : vieille femme; le terme n'est pas du tout
    irrespectueux. J. L. Guez de Balzac écrit à un ami :
    « j'ai perdu mon bonhomme de père : c'était un antique... »
10 *amitié* : affection; Malherbe écrit « l'amitié paternelle ».
11 *se prend* : s'applique.
12 *d'un air* : de la façon.
13 *honnêteté* : bonne éducation, distinction.
14 *j'en vois* : je vois beaucoup de ces qualités, je les imagine.

vous me dites; et pour comprendre ce qu'elle est, il me suffit que vous l'aimez[15].

CLÉANTE / J'ai découvert sous main[16] qu'elles ne sont pas fort accommodées[17], et que leur discrète conduite[18] a de la
60 peine à étendre à tous leurs besoins le bien qu'elles peuvent avoir. Figurez-vous, ma sœur, quelle joie ce peut être que de relever la fortune d'une personne que l'on aime; que de donner adroitement quelques petits secours aux modestes nécessités d'une vertueuse famille; et concevez quel déplaisir
65 ce m'est de voir que, par l'avarice d'un père, je sois dans l'impuissance de goûter cette joie, et de faire éclater[19] à cette belle aucun témoignage de mon amour.

ÉLISE / Oui, je conçois assez, mon frère, quel doit être votre chagrin.

70 CLÉANTE / Ah! ma sœur, il est plus grand qu'on ne peut croire. Car enfin peut-on rien voir de plus cruel que cette rigoureuse épargne qu'on[20] exerce sur nous, que cette sécheresse[21] étrange où l'on nous fait languir? Et que nous servira d'avoir du bien, s'il ne nous vient que dans le temps que[22]
75 nous ne serons plus dans le bel âge d'en jouir, et si pour m'entretenir même il faut que maintenant je m'engage[23] de tous côtés, si je suis réduit avec vous à chercher tous les jours le secours des marchands[24], pour avoir moyen de porter des habits raisonnables? Enfin j'ai voulu vous parler, pour
80 m'aider[25] à sonder mon père sur les sentiments où je suis;

---

15 *aimez* : à l'indicatif, et non au subjonctif, parce que l'amour de Cléante n'est pas douteux : il me suffit de savoir que vous l'aimez.
16 *sous main* : secrètement, en cachette.
17 *accommodées* : pourvues d'argent.
18 *discrète conduite* : prudente économie.
19 *faire éclater* : donner de l'éclat à, faire briller.
20 *on* : Cléante emploie ce pronom indéfini pour éviter de nommer son père.
21 *sécheresse* : manque d'argent.
22 *que* : où.
23 *je m'engage* : je fasse des dettes.
24 *marchands* : usuriers qui prêtent de l'argent à gros intérêts.
25 *pour m'aider* : pour que vous m'aidiez (ce tour ne serait pas correct aujourd'hui, car le sujet de l'infinitif n'est pas la même personne que le sujet du verbe principal).

et si je l'y[26] trouve contraire, j'ai résolu d'aller en d'autres lieux, avec cette aimable personne, jouir de la fortune[27] que le Ciel voudra nous offrir. Je fais chercher partout pour ce dessein de l'argent à emprunter; et si vos affaires, ma sœur,
85   sont semblables aux miennes, et qu'il faille que notre père s'oppose à nos désirs, nous le quitterons là tous deux et nous affranchirons de cette tyrannie où nous tient depuis si longtemps son avarice insupportable.

---

26 *y :* à ces sentiments.
27 *fortune :* sort (sens étymologique).

QUESTIONS en vue de l'explication de la scène 2 :

1 *A la fin de la scène 1, Élise se disposait à faire ses confidences à son frère. Or nous constatons que, au début de la scène 2, c'est Cléante au contraire qui prend la parole le premier pour faire ses confidences à sa sœur.*
a) *Pourquoi l'auteur a-t-il présenté les choses dans cet ordre, quel avantage y trouve-t-il pour la construction de la pièce ?*
b) *Est-il vraisemblable et conforme au caractère des personnages que Cléante parle le premier ?*
c) *A quel moment et dans quel lieu Élise parlera-t-elle à son tour ? (Car nous voyons, à la scène 4, que Cléante est au courant.)*

2 *Montrez que la scène 2 complète l'exposition : quels renseignements nouveaux, indispensables à l'intelligence de la pièce, fournit-elle au spectateur ?*

3 *Étudiez, d'après cette scène, le caractère de Cléante. C'est un amoureux, comme Valère, mais quelle différence apercevez-vous entre les deux personnages ?*

4 *Au point de vue de la mise en scène :*
a) *Sur quel ton doit être prononcée la tirade de Cléante : « Oui, j'aime... de ne me point faire de remontrances » ?*
b) *Quelle attitude doit avoir Élise en scène au moment où son frère prononce cette tirade ?*
c) *Comment doit être habillé Cléante pour que ses paroles « porter des habits raisonnables » prennent toute leur valeur ?*

Ils décident d'approcher leur père

ÉLISE / Il est bien vrai que, tous les jours, il nous donne de
90 plus en plus sujet de regretter la mort de notre mère, et que...

CLÉANTE / J'entends sa voix. Éloignons-nous un peu, pour
nous achever notre confidence; et nous joindrons après nos
forces pour venir attaquer la dureté de son humeur.

Comique de Molière

Harp est déraisonnable donc ➔ ridicule

SCÈNE III : HARPAGON, LA FLÈCHE

HARPAGON / Hors d'ici tout à l'heure[1], et qu'on ne réplique
pas[2]. Allons, que l'on détale de chez moi, maître juré filou[3],
vrai gibier de potence[4].

LA FLÈCHE[5] / Je n'ai jamais rien vu de si méchant que ce
5 maudit vieillard, et je pense, sauf correction[6], qu'il a le diable
au corps.

HARPAGON / Tu murmures entre tes dents.

LA FLÈCHE / Pourquoi me chassez-vous ?

HARPAGON / C'est bien à toi, pendard, à me demander des
10 raisons : sors vite, que je ne[7] t'assomme. *beat to death*

LA FLÈCHE / Qu'est-ce que je vous ai fait ?

HARPAGON / Tu m'as fait[8] que je veux que tu sortes.

---

1 *tout à l'heure :* tout de suite.
2 *qu'on ne réplique pas :* le ton est plus méprisant que si
   Harpagon avait employé la deuxième personne : ne
   réplique pas.
3 *maître juré filou :* exagération plaisante : dans la corporation des filous, La Flèche n'est plus un apprenti, il est
   devenu maître, et même maître juré (on appelait ainsi un
   maître élu par les autres pour défendre la corporation).
4 *gibier de potence :* qui mérite d'être pendu à une potence,
   comme un lièvre ou un chevreuil à la devanture d'un marchand de gibier.
5 *La Flèche :* il est supposé parler trop bas pour que Harpagon comprenne ses paroles; c'est un *a parte.*
6 *sauf correction :* expression courante, destinée à atténuer
   la hardiesse du mot diable, qu'il était interdit par la
   religion de prononcer; plus loin, ce mot, pour la même
   raison, est remplacé par diantre.
7 *que je ne :* avant que je ne.
8 *tu m'as fait :* il faut marquer une pause après ces mots :
   Harpagon cherche une raison plausible, et, n'en trouvant
   aucune qu'il puisse avouer, il se contente d'affirmer son
   autorité.

LA FLÈCHE / Mon maître[9], votre fils, m'a donné ordre de l'attendre.

15 HARPAGON / Va-t'en l'attendre dans la rue, et ne sois point dans ma maison planté tout droit comme un piquet, à observer ce qui se passe, et faire ton profit de tout. Je ne veux point avoir sans cesse devant moi un espion de mes affaires, un traître, dont les yeux maudits assiègent toutes
20 mes actions, dévorent[10] ce que je possède, et furettent de tous côtés pour voir s'il n'y a rien à voler.

LA FLÈCHE / Comment diantre voulez-vous qu'on fasse pour vous voler? Êtes-vous un homme volable[11], quand vous renfermez toutes choses, et faites sentinelle jour et nuit?

25 HARPAGON / Je veux renfermer ce que bon me semble, et faire sentinelle comme il me plaît. Ne voilà pas[12] de mes mouchards[13], qui prennent garde à ce qu'on fait? Je tremble qu'il n'ait soupçonné quelque chose de mon argent[14]. Ne serais-tu point homme à aller faire courir le bruit que j'ai
30 chez moi de l'argent caché?

LA FLÈCHE / Vous avez de l'argent caché?

HARPAGON / Non, coquin, je ne dis pas cela. (*A part.*) J'enrage[15]. Je demande si malicieusement[16] tu n'irais point faire courir le bruit que j'en ai.

35 LA FLÈCHE / Hé! que nous importe que vous en ayez ou que vous n'en ayez pas, si c'est pour nous la même chose?

---

9 *mon maître* est le sujet du verbe et désigne Cléante; *votre fils* est l'apposition au sujet. La Flèche est le valet attaché au service de Cléante.

10 *dévorent* : image plaisante; Harpagon a peur qu'on lui prenne quelque chose de son bien rien qu'en le regardant.

11 *volable* : mot inventé par Molière, pour faire rire (que l'on puisse voler).

12 *ne voilà pas* : ne voilà-t-il pas (protestation violente).

13 *mouchards* : mot populaire signifiant : espions.

14 *de mon argent* : cette phrase est un *a parte*; La Flèche ne l'entend pas.

15 *j'enrage* : Harpagon est furieux de s'être trahi lui-même; on verra, au début de la scène suivante, qu'il a enterré une cassette pleine de pièces d'or dans son jardin.

16 *malicieusement* : par pure méchanceté.

HARPAGON / Tu fais le raisonneur. Je te baillerai de ce raisonnement-ci[17] par les oreilles. *(Il lève la main pour lui donner
un soufflet.)* Sors d'ici, encore une fois.

40 LA FLÈCHE / Hé bien! je sors[18].

HARPAGON / Attends. Ne m'emportes-tu rien?

LA FLÈCHE / Que vous emporterais-je?

HARPAGON / Viens çà[19], que je voie. Montre-moi tes mains.

LA FLÈCHE / Les voilà.

45 HARPAGON / Les autres?

LA FLÈCHE / Les autres?

HARPAGON / Oui.

LA FLÈCHE / Les voilà.

HARPAGON / N'as-tu rien mis ici dedans?

50 LA FLÈCHE / Voyez vous-même.

HARPAGON, *il tâte le bas de ses chausses*[20] / Ces grands
hauts-de-chausses sont propres à devenir les receleurs[21] des
choses qu'on dérobe et je voudrais qu'on en eût fait pendre
quelqu'un[22].

55 LA FLÈCHE / Ah! qu'un homme comme cela mériterait bien
ce qu'il craint! et que j'aurais de joie à le voler!

HARPAGON / Euh?

LA FLÈCHE / Quoi?

HARPAGON / Qu'est-ce que tu parles de voler?

60 LA FLÈCHE / Je dis que vous fouillez bien partout, pour voir
si je vous ai volé.

HARPAGON / C'est ce que je veux faire.

Il fouille dans les poches de La Flèche.

LA FLÈCHE / La peste soit de l'avarice et des avaricieux!

---

17 *de ce raisonnement-ci* : un soufflet, dont il le menace en
levant la main.

18 *je sors* : fausse sortie; Harpagon l'arrête avant qu'il ait
atteint la porte.

19 *çà* : ici, près de moi.

20 *chausses* : tout le vêtement qui est au-dessous de la cein-
ture; le haut-de-chausses est la culotte.

21 *receleurs* : ceux qui dissimulent les objets volés.

22 *quelqu'un* : Harpagon veut dire évidemment un de ceux qui
cachent les objets volés dans les hauts-de-chausses; mais la
phrase est faite de telle sorte qu'on puisse comprendre :
« pendre un de ces hauts-de-chausses », et Molière exploite
cette équivoque pour faire rire.

65 HARPAGON / Comment? que dis-tu?

LA FLÈCHE / Ce que je dis?

HARPAGON / Oui : qu'est-ce que tu dis d'avarice et d'avaricieux?

LA FLÈCHE   Je dis que la peste soit de l'avarice et des ava-
70 ricieux!

HARPAGON / De qui veux-tu parler?

LA FLÈCHE / Des avaricieux.

HARPAGON / Et qui sont-ils ces avaricieux?

LA FLÈCHE / Des vilains[23] et des ladres[24].

75 HARPAGON / Mais qui est-ce que tu entends[25] par là?

LA FLÈCHE / De quoi vous mettez-vous en peine?

HARPAGON / Je me mets en peine de ce qu'il faut.

LA FLÈCHE / Est-ce que vous croyez que je veux parler de
vous?

80 HARPAGON / Je crois ce que je crois; mais je veux que tu
me dises à qui tu parles quand tu dis cela.

LA FLÈCHE / Je parle... je parle à mon bonnet[26].

---

23 *vilains :* au sens propre : paysans; puis le mot a été pris
    en mauvaise part, pour signifier, comme ici : avares.
24 *ladres :* au sens propre : lépreux; autre mot pour désigner
    les avares.
25 *tu entends :* tu veux dire.
26 *je parle à mon bonnet :* je me parle à moi-même.

QUESTIONS en vue de l'explication de la scène 3 :

1 *L'entrée en scène d'Harpagon a-t-elle été préparée par les
deux scènes précédentes? Quel est à ce moment-là l'état d'esprit
des spectateurs?*

2 *Étudiez le comportement de La Flèche tout au long de la scène;
montrez en quoi il peut irriter Harpagon.*

3 *Cherchez dans la scène les traits qui démontrent l'avarice
d'Harpagon et son caractère soupçonneux.*

4 *Quels sont les passages particulièrement comiques? Discutez
leur vraisemblance : est-ce que à certains moments Molière, pour
faire rire, n'est pas allé un peu au-delà du vraisemblable?*

5 *Étude détaillée des jeux de scène : la place des personnages
sur le théâtre, leurs gestes et attitudes.*

HARPAGON / Et moi, je pourrais bien parler à ta barrette[27].

LA FLÈCHE / M'empêcherez-vous de maudire les avaricieux ?

85 HARPAGON / Non; mais je t'empêcherai de jaser et d'être insolent. Tais-toi.

LA FLÈCHE / Je ne nomme personne.

HARPAGON / Je te rosserai, si tu parles.

LA FLÈCHE / Qui se sent morveux, qu'il se mouche[28].

90 HARPAGON / Te tairas-tu ?

LA FLÈCHE / Oui, malgré moi.

HARPAGON / Ha, ha !

LA FLÈCHE, *lui montrant une des poches de son justaucorps*[29] / Tenez, voilà encore une poche : êtes-vous satisfait ?

95 HARPAGON / Allons, rends-le-moi sans te fouiller[30].

LA FLÈCHE / Quoi ?

HARPAGON / Ce que tu m'as pris.

LA FLÈCHE / Je ne vous ai rien pris du tout.

HARPAGON / Assurément ?

100 LA FLÈCHE / Assurément.

HARPAGON / Adieu : va-t'en à tous les diables.

LA FLÈCHE / Me voilà fort bien congédié.

HARPAGON / Je te le[31] mets sur ta conscience, au moins. Voilà un pendard de valet qui m'incommode fort, et je ne
105 me plais point à voir ce chien de boiteux-là[32].

---

27 *barrette* : sorte de béret; « parler à la barrette » signifiait : la faire tomber à force de soufflets; mais Harpagon fait ici un jeu de mots, en substituant barrette à bonnet.

28 *qu'il se mouche* : proverbe populaire signifiant : que celui qui se sent visé par mes injures les prenne pour lui.

29 *justaucorps* : vêtement ajusté, qui serre le corps, porté autrefois par les gens de guerre ou les valets (les maîtres portaient des pourpoints).

30 *sans te fouiller* : sans que je te fouille (ce tour serait incorrect aujourd'hui).

31 *le* : ce que tu m'as volé; Harpagon n'est pas encore convaincu de l'innocence de La Flèche.

32 *ce chien de boiteux-là* : l'allure de La Flèche, qui tire la jambe, a quelque chose d'inquiétant pour le soupçonneux Harpagon. On pense aussi que Molière fait ici allusion à l'infirmité de son beau-frère Béjart, qui jouait le rôle de La Flèche.

SCÈNE IV : ÉLISE, CLÉANTE, HARPAGON

HARPAGON / Certes, ce n'est pas une petite peine que de garder chez soi une grande somme d'argent; et bienheureux qui a tout son fait[1] bien placé, et ne conserve seulement que[2] ce qu'il faut pour sa dépense. On n'est pas peu embarrassé
5 à[3] inventer dans toute une maison une cache[4] fidèle; car pour moi, les coffres-forts me sont suspects, et je ne veux jamais m'y fier : je les tiens[5] justement une franche amorce à voleurs, et c'est toujours la première chose que l'on va attaquer. Cependant je ne sais si j'aurai bien fait d'avoir
10 enterré dans mon jardin dix mille écus[6] qu'on me rendit hier. Dix mille écus en or chez soi est une somme assez....

         Ici le frère et la sœur paraissent, s'entretenant bas.

O Ciel! je me serai trahi moi-même : la chaleur[7] m'aura emporté, et je crois que j'ai parlé haut en raisonnant tout
15 seul. Qu'est-ce?

CLÉANTE / Rien, mon père.

HARPAGON / Y a-t-il longtemps que vous êtes là?

ÉLISE / Nous ne venons que d'arriver.

HARPAGON / Vous avez entendu...

20 CLÉANTE / Quoi? mon père.

HARPAGON / Là[8]...

ÉLISE / Quoi?

HARPAGON / Ce que je viens de dire.

CLÉANTE / Non.

25 HARPAGON / Si fait, si fait.

ÉLISE / Pardonnez-moi[9].

---

1 *son fait :* son avoir.
2 *ne conserve seulement que,* pléonasme pour : conserve seulement.
3 *à :* pour.
4 *cache :* cachette.
5 *je les tiens :* je les considère comme.
6 *dix mille écus :* trente mille francs, somme qui représenterait aujourd'hui, en pouvoir d'achat, environ trois cent mille nouveaux francs.
7 *la chaleur :* l'ardeur, la passion.
8 *là... :* vous savez bien quoi.
9 *pardonnez-moi :* formule polie pour dire : non.

HARPAGON / Je vois bien que vous en avez ouï quelques mots. C'est que je m'entretenais en moi-même de la peine qu'il y a aujourd'hui à trouver de l'argent, et je disais qu'il[10]
30 est bienheureux qui peut avoir dix mille écus chez soi.

CLÉANTE / Nous feignions[11] à vous aborder, de peur de vous interrompre.

HARPAGON / Je suis bien aise de vous dire cela, afin que vous n'alliez pas prendre les choses de travers et vous imaginer
35 que je dise que c'est moi qui ai dix mille écus.

CLÉANTE / Nous n'entrons point dans vos affaires.

HARPAGON / Plût à Dieu que le les eusse, dix mille écus.

CLÉANTE / Je ne crois pas...

HARPAGON / Ce serait une bonne affaire pour moi.

ÉLISE / Ce sont des choses...

HARPAGON / J'en aurais bon besoin.

CLÉANTE / Je pense que...

HARPAGON / Cela m'accommoderait[12] fort.

ÉLISE / Vous êtes...

45 HARPAGON / Et je ne me plaindrais pas, comme je fais, que le temps est misérable.

CLÉANTE / Mon Dieu! mon père, vous n'avez pas lieu de vous plaindre, et l'on sait que vous avez assez de bien[13].

HARPAGON / Comment? j'ai assez de bien! Ceux qui le
50 disent en ont menti. Il n'y a rien de plus faux; et ce sont des coquins qui font courir tous ces bruits-là.

ÉLISE / Ne vous mettez point en colère.

HARPAGON / Cela est étrange, que mes propres enfants me trahissent et deviennent mes ennemis!

55 CLÉANTE / Est-ce être votre ennemi, que de dire que vous avez du bien?

HARPAGON / Oui : de pareils discours et les dépenses que vous faites seront cause qu'un de ces jours on me viendra chez moi couper la gorge, dans la pensée que je suis tout
60 cousu de pistoles[14].

---

10 *il est bienheureux qui :* celui-là est bien heureux qui.
11 *nous feignions à :* nous hésitions à.
12 *m'accommoderait :* me mettrait à mon aise.
13 *de bien :* d'argent.
14 *tout cousu de pistoles :* avec des pistoles (pièces d'or) cousues dans mes vêtements.

CLÉANTE / Quelle grande dépense est-ce que je fais?

HARPAGON / Quelle? Est-il rien de plus scandaleux que ce somptueux équipage[15] que vous promenez par la ville? Je querellais hier votre sœur; mais c'est encore pis. Voilà qui
65 crie vengeance au Ciel; et à vous prendre depuis les pieds jusqu'à la tête, il y aurait là de quoi faire une bonne constitution[16]. Je vous l'ai dit vingt fois, mon fils, toutes vos manières me déplaisent fort : vous donnez furieusement dans le marquis[17]; et pour aller ainsi vêtu, il faut bien que
70 vous me dérobiez.

CLÉANTE / Hé! comment vous dérober[18]?

HARPAGON / Que sais-je? Où pouvez-vous donc prendre de quoi entretenir l'état que vous portez[19]?

CLÉANTE / Moi, mon père? C'est que je joue; et comme je
75 suis fort heureux[20], je mets sur moi tout l'argent que je gagne.

HARPAGON / C'est fort mal fait. Si vous êtes heureux au jeu, vous en devriez profiter, et mettre à honnête intérêt l'argent que vous gagnez, afin de le trouver un jour. Je voudrais bien savoir, sans parler du reste, à quoi servent tous ces rubans
80 dont vous voilà lardé[21] depuis les pieds jusqu'à la tête, et si une demi-douzaine d'aiguillettes[22] ne suffit pas pour attacher un haut-de-chausses? Il est bien nécessaire[23] d'employer de l'argent à des perruques, lorsque l'on peut porter des cheveux

---

15 *équipage* : l'ensemble des vêtements et de la parure.

16 *constitution* : placement d'argent.

17 *vous donnez furieusement dans le marquis* : vous imitez fort la manière d'agir des marquis (furieusement signifiait : beaucoup, très).

18 *dérober* : voler.

19 *l'état que vous portez* : la manière dont vous vous habillez.

20 *je suis fort heureux* : j'ai beaucoup de chance, je gagne beaucoup au jeu.

21 *lardé* : image plaisante, comparaison avec un rôti piqué de morceaux de lard.

22 *aiguillettes* : lacets ferrés des deux bouts, qui attachaient le haut-de-chausses (la culotte) au pourpoint (sorte de veste courte); mais les élégants couvraient ces lacets d'un amas de rubans.

23 *il est bien nécessaire* : ironique : à quoi cela sert-il?

de son cru, qui ne coûtent rien. Je vais gager[24] qu'en per-
85 ruques et rubans, il y a du moins[25] vingt pistoles[26]; et vingt
pistoles rapportent par année dix-huit livres six sols huit
deniers, à ne les placer qu'au denier douze[27].

CLÉANTE / Vous avez raison.

HARPAGON / Laissons cela, et parlons d'autre affaire. Euh?
90 Je crois qu'ils se font signe l'un à l'autre de me voler ma
bourse. Que veulent dire ces gestes-là?

ÉLISE / Nous marchandons[28], mon frère et moi, à qui parlera
le premier; et nous avons tous deux quelque chose à vous
dire.

95 HARPAGON / Et moi, j'ai quelque chose aussi à vous dire à
tous deux.

CLÉANTE / C'est de mariage, mon père, que nous désirons
vous parler.

HARPAGON / Et c'est de mariage aussi que je veux vous
100 entretenir.

ÉLISE / Ah! mon père!

HARPAGON / Pourquoi ce cri? Est-ce le mot, ma fille, ou
la chose, qui vous fait peur?

CLÉANTE / Le mariage peut nous faire peur à tous deux,
105 de la façon que vous pouvez l'entendre[29]; et nous craignons
que nos sentiments ne soient pas d'accord avec votre choix.

HARPAGON / Un peu de patience. Ne vous alarmez point.
Je sais ce qu'il faut à tous deux; et vous n'aurez ni l'un ni
l'autre aucun lieu de vous plaindre de tout ce que je prétends
110 faire. Et pour commencer par un bout : avez-vous vu, dites-
moi, une jeune personne appelée Mariane, qui ne loge pas
loin d'ici?

CLÉANTE / Oui, mon père.

HARPAGON / Et vous?

---

24 *gager* : parier.
25 *du moins* : au moins.
26 *vingt pistoles* : la pistole valait à ce moment-là onze livres
     (ou francs); donc vingt pistoles font deux cent vingt livres.
27 *au denier douze* : à un denier d'intérêt pour douze deniers
     prêtés, c'est-à-dire à 8,33 % environ. La livre valant vingt
     sols et le sol douze deniers, le calcul d'Harpagon est exact.
     Mais le taux légal était le denier vingt (5 %).
28 *nous marchandons* : nous hésitons.
29 *l'entendre* : selon la façon dont vous pouvez le comprendre.

Harp + Cléante aiment les deux la même fille

115 ÉLISE / J'en ai ouï parler.

HARPAGON / Comment, mon fils, trouvez-vous cette fille?

CLÉANTE / Une fort charmante personne.

HARPAGON / Sa physionomie?

CLÉANTE / Toute honnête[30], et pleine d'esprit.

120 HARPAGON / Son air et sa manière?

CLÉANTE / Admirables, sans doute[31].

HARPAGON / Ne croyez-vous pas qu'une fille comme cela mériterait assez que l'on songeât à elle?

CLÉANTE / Oui, mon père.

125 HARPAGON / Que ce serait un parti souhaitable?

CLÉANTE / Très souhaitable.

HARPAGON / Qu'elle a toute la mine de[32] faire un bon ménage?

CLÉANTE / Sans doute.

HARPAGON / Et qu'un mari aurait satisfaction avec elle?

130 CLÉANTE / Assurément.

HARPAGON / Il y a une petite difficulté : c'est que j'ai peur qu'il n'y ait pas avec elle tout le bien qu'on pourrait prétendre[33].

CLÉANTE / Ah! mon père, le bien n'est pas considérable[34],
135 lorsqu'il est question d'épouser une honnête personne.

HARPAGON / Pardonnez-moi[35], pardonnez-moi. Mais ce qu'il y a à dire, c'est que si l'on n'y[36] trouve pas tout le bien qu'on souhaite, on peut tâcher de regagner cela sur autre chose.

CLÉANTE / Cela s'entend[37].

140 HARPAGON / Enfin je suis bien aise de vous voir dans mes sentiments; car son maintien honnête et sa douceur m'ont gagné l'âme, et je suis résolu de l'épouser, pourvu que j'y trouve quelque bien.

CLÉANTE / Euh?

Cléante comprend maintenant que Harp aime Mar.

145 HARPAGON / Comment?

---

30 *honnête* : d'une personne bien élevée.
31 *sans doute* : sans aucun doute.
32 *elle a toute la mine de* : sa mine laisse supposer que.
33 *le bien qu'on pourrait prétendre* : la fortune à laquelle on pourrait prétendre.
34 *n'est pas considérable* : ne doit pas être pris en considération, il ne faut pas en tenir compte.
35 *pardonnez-moi* : manière polie de contredire.
36 *y* : dans ce mariage.
37 *s'entend* : se comprend.

CLÉANTE / Vous êtes résolu, dites-vous… ?

HARPAGON / D'épouser Mariane.

CLÉANTE / Qui, vous ? vous ?

HARPAGON / Oui, moi, moi, moi. Que veut dire cela ?

150 CLÉANTE / Il m'a pris tout à coup un éblouissement, et je me retire d'ici.

HARPAGON / Cela ne sera rien. Allez vite boire dans la cuisine un grand verre d'eau claire. Voilà de mes damoiseaux flouets[38], qui n'ont non plus de vigueur que[39] des poules. C'est là,
155 ma fille, ce que j'ai résolu pour moi. Quant à ton frère, je lui destine une certaine veuve dont ce matin on m'est venu parler; et pour toi, je te donne au seigneur Anselme.

ÉLISE / Au seigneur Anselme ?

HARPAGON / Oui, un homme mûr, prudent et sage, qui n'a
160 pas plus de cinquante ans, et dont on vante les grands biens.

ÉLISE, *elle fait une révérence* / Je ne veux point me marier, mon père, s'il vous plaît.

HARPAGON, *il contrefait sa révérence* / Et moi, ma petite fille, ma mie[40], je veux que vous vous mariiez, s'il vous plaît.

165 ÉLISE / Je vous demande pardon, mon père.

HARPAGON / Je vous demande pardon, ma fille.

ÉLISE / Je suis très humble servante[41] au seigneur Anselme; mais, avec votre permission, je ne l'épouserai point.

HARPAGON / Je suis votre très humble valet; mais, avec votre
170 permission, vous l'épouserez dès ce soir.

ÉLISE / Dès ce soir ?

HARPAGON / Dès ce soir.

ÉLISE / Cela ne sera pas, mon père.

HARPAGON / Cela sera, ma fille.

175 ÉLISE / Non.

HARPAGON / Si.

ÉLISE / Non, vous dis-je.

---

38 *damoiseaux flouets* : jeunes élégants, qui ont la taille fine et la santé délicate.
39 *non plus que* : pas plus que.
40 *ma mie* : pour m'amie, c'est-à-dire : mon amie.
41 *très humble servante* : manière polie, mais ferme, de refuser de faire ce qu'on vous demande. Harpagon, plus bas, reprend la formule par moquerie : je suis votre très humble valet.

HARPAGON / Si, vous dis-je.

ÉLISE / C'est une chose où[42] vous ne me réduirez point.

180 HARPAGON / C'est une chose où je te réduirai.

ÉLISE / Je me tuerai plutôt que d'épouser un tel mari.

HARPAGON / Tu ne te tueras point, et tu l'épouseras. Mais voyez quelle audace! A-t-on jamais vu une fille parler de la sorte à son père?

185 ÉLISE / Mais a-t-on jamais vu un père marier sa fille de la sorte?

HARPAGON / C'est un parti où[43] il n'y a rien à redire; et je gage que tout le monde approuvera mon choix.

---

42 *où :* à laquelle.
43 *où :* auquel.

QUESTIONS en vue de l'explication de la scène 4 :

1 *Cherchez dans les paroles prononcées par Harpagon au début de la scène, quand il est seul, un nouveau trait de son avarice et de sa méfiance. Pourtant n'a-t-il pas agi contrairement à sa prudence habituelle en enterrant une grosse somme dans son jardin? Comment Molière rend-il la chose vraisemblable?*

2 *Pourquoi Harpagon tient-il tellement à faire avouer à Cléante et à Élise qu'ils ont entendu ses paroles? Quel jour ce passage jette-t-il sur les sentiments du père à l'égard de ses enfants?*

3 *Qu'y a-t-il de comique dans les reproches qu'Harpagon fait à Cléante sur ses dépenses vestimentaires?*

4 *Quelle est la valeur morale des conseils donnés par Harpagon à Cléante, lorsque celui-ci prétend avoir gagné au jeu l'argent qu'il a dépensé pour s'habiller?*

5 *Étudiez le dialogue entre Harpagon et Cléante au sujet de Mariane; montrez le mouvement et la valeur comique de ce passage. Quelle est son importance pour l'action de la pièce?*

6 *Que pensez-vous de la manière dont Harpagon soigne « l'éblouissement » de Cléante?*

7 *Dans le dialogue final entre Harpagon et Élise, expliquez le jeu de scène; quelle en est la valeur comique?*

ÉLISE / Et moi, je gage[44] qu'il ne saurait être approuvé
190   d'aucune personne raisonnable.

HARPAGON / Voilà Valère : veux-tu qu'entre nous deux nous
le fassions juge de cette affaire ?

ÉLISE / J'y consens.

HARPAGON / Te rendras-tu à son jugement ?

195   ÉLISE / Oui, j'en passerai par ce qu'il dira.

HARPAGON / Voilà qui est fait[45].

SCÈNE V : VALÈRE, HARPAGON, ÉLISE

HARPAGON / Ici, Valère. Nous t'avons élu[1] pour nous dire
qui a raison, de ma fille ou de moi.

VALÈRE / C'est vous, monsieur, sans contredit.

HARPAGON / Sais-tu bien de quoi nous parlons ?

5   VALÈRE / Non ; mais vous ne sauriez avoir tort, et vous êtes
toute raison.

HARPAGON / Je veux ce soir lui donner pour époux un homme
aussi riche que sage ; et la coquine me dit au nez qu'elle se
moque de[2] le prendre. Que dis-tu de cela ?

10   VALÈRE / Ce que j'en dis ?

HARPAGON / Oui.

VALÈRE / Eh, eh.

HARPAGON / Quoi ?

VALÈRE / Je dis que dans le fond je suis de votre sentiment[3] ;
15   et vous ne pouvez pas que vous n'ayez raison[4]. Mais aussi
n'a-t-elle pas tort tout à fait, et...

HARPAGON / Comment ? le seigneur Anselme est un parti
considérable[5] ; c'est un gentilhomme qui est noble[6], doux,

---

44   *je gage :* je parie.
45   *voilà qui est fait :* le pari est tenu.
1   *élu :* choisi.
2   *se moque de :* ne se soucie pas de.
3   *sentiment :* opinion.
4   *raison :* il est impossible que vous n'ayez pas raison.
5   *considérable :* qui mérite considération.
6   *noble :* il est évident qu'un gentilhomme est toujours noble
(de naissance noble) ; c'est donc une plaisanterie, de la
part de Molière, qui veut se moquer ici de ceux qui pré-
tendaient être nobles et ne l'étaient pas réellement.

Harp veut que Elise Mar. avec Anselme pour qu'il puisse recevoir son argent quand il meurt parce qu'il n'a pas d'heirs

posé, sage, et fort accommodé[7], et auquel il ne reste aucun
20　enfant de son premier mariage. Saurait-elle mieux rencontrer ?
VALÈRE / Cela est vrai. Mais elle pourrait vous dire que
c'est un peu précipiter les choses, et qu'il faudrait au moins
quelque temps pour voir si son inclination pourra s'accommoder avec....
25　HARPAGON / C'est une occasion qu'il faut prendre vite aux
cheveux. Je trouve ici un avantage qu'ailleurs je ne trouverais
pas, et il s'engage à la prendre sans dot. *dowry*
VALÈRE / Sans dot ?
HARPAGON / Oui.
30　VALÈRE / Ah ! je ne dis plus rien. Voyez-vous ? voilà une
raison tout à fait convaincante ; il se faut rendre à cela.
HARPAGON / C'est pour moi une épargne *savings* considérable.
VALÈRE / Assurément, cela ne reçoit[8] point de contradiction.
Il est vrai que votre fille vous peut représenter[9] que le mariage
35　est une plus grande affaire qu'on ne peut croire, qu'il y va
d'être heureux ou malheureux toute sa vie ; et qu'un engagement qui doit durer jusqu'à la mort ne se doit jamais faire
qu'avec de grandes précautions.
HARPAGON / Sans dot.
40　VALÈRE / Vous avez raison : voilà qui décide tout, cela
s'entend[10]. Il y a des gens qui pourraient vous dire qu'en de
telles occasions l'inclination d'une fille est une chose sans
doute où[11] l'on doit avoir de l'égard ; et que cette grande
inégalité d'âge, d'humeur et de sentiments, rend un mariage
45　sujet à des accidents très fâcheux.
HARPAGON / Sans dot.
VALÈRE / Ah ! il n'y a pas de réplique à cela : on le sait bien ;
qui diantre[12] peut aller là contre ? Ce n'est pas qu'il n'y ait
quantité de pères qui aimeraient mieux ménager[13] la satis-
50　faction de leurs filles que l'argent qu'ils pourraient donner ;

7　*accommodé* : riche.
8　*ne reçoit* : n'admet.
9　*représenter* : objecter.
10　*cela s'entend* : cela est évident.
11　*où* : pour laquelle.
12　*diantre* : diable.
13　*ménager* a ici un double sens : procurer la satisfaction et
épargner l'argent.

qui ne les voudraient point sacrifier à l'intérêt, et cherche-
raient plus que toute autre chose à mettre dans un mariage
cette douce conformité[14] qui sans cesse y maintient l'honneur,
la tranquillité et la joie, et que...

55 HARPAGON / Sans dot.

VALÈRE / Il est vrai : cela ferme la bouche à tout, SANS DOT.
Le moyen de résister à une raison comme celle-là ?

HARPAGON, *il regarde vers le jardin* / Ouais! il me semble
que j'entends un chien qui aboie. N'est-ce point qu'on en
60 voudrait à mon argent ? Ne bougez[15], je reviens tout à
l'heure[16].

ÉLISE / Vous moquez-vous, Valère, de lui parler comme
vous faites ?

VALÈRE / C'est pour ne point l'aigrir, et pour en venir mieux
65 à bout. Heurter de front ses sentiments est le moyen de tout
gâter; et il y a de certains esprits qu'il ne faut prendre qu'en
biaisant[17], des tempéraments ennemis de toute résistance,
des naturels[18] rétifs[19], que la vérité fait cabrer, qui toujours
se raidissent contre le droit chemin de la raison, et qu'on
70 ne mène qu'en tournant où l'on veut les conduire. Faites
semblant de consentir à ce qu'il veut, vous en viendrez
mieux à vos fins, et...

ÉLISE / Mais ce mariage, Valère ?

VALÈRE / On cherchera des biais[20] pour le rompre.

75 ÉLISE / Mais quelle invention trouver, s'il se doit conclure
ce soir ?

VALÈRE / Il faut demander un délai, et feindre quelque
maladie.

ÉLISE / Mais on découvrira la feinte, si l'on appelle des
80 médecins.

---

14 *conformité :* accord parfait (entre les époux).
15 *ne bougez :* ne bougez pas.
16 *tout à l'heure :* tout de suite.
17 *en biaisant :* en usant de ruse.
18 *des naturels :* des caractères.
19 *rétifs :* image; se dit. au sens propre, d'un cheval difficile
   à conduire; donc ici, au figuré : difficiles à persuader.
20 *des biais :* des moyens détournés.

VALÈRE / Vous moquez-vous? Y connaissent-ils quelque chose? Allez, allez, vous pourrez avec eux avoir quel mal[21] il vous plaira, ils vous trouveront des raisons pour vous dire d'où cela vient.

85 HARPAGON / Ce n'est rien, Dieu merci.

VALÈRE / Enfin notre dernier recours, c'est que la fuite nous peut mettre à couvert de tout; et si votre amour, belle Élise, est capable d'une fermeté... (*Il aperçoit Harpagon.*) Oui, il faut qu'une fille obéisse à son père. Il ne faut point qu'elle

90 regarde comme[22] un mari est fait; et lorsque la grande raison de SANS DOT s'y rencontre, elle doit être prête à prendre tout ce qu'on lui donne.

HARPAGON / Bon. Voilà bien parlé, cela.

VALÈRE / Monsieur, je vous demande pardon si je m'emporte

95 un peu, et prends la hardiesse de lui parler comme je fais.

HARPAGON / Comment? J'en suis ravi, et je veux que tu prennes sur elle un pouvoir absolu. (*A Élise.*) Oui, tu as beau fuir. Je lui donne l'autorité que le Ciel me donne sur toi, et j'entends[23] que tu fasses tout ce qu'il te dira.

100 VALÈRE / Après cela, résistez à mes remontrances. Monsieur, je vais la suivre, pour lui continuer les leçons que je lui faisais.

HARPAGON / Oui, tu m'obligeras[24]. Certes...

VALÈRE / Il est bon de lui tenir un peu la bride haute[25].

105 HARPAGON / Cela est vrai. Il faut...

VALÈRE / Ne vous mettez pas en peine. Je crois que j'en viendrai à bout.

HARPAGON / Fais, fais. Je m'en vais faire un petit tour en ville, et reviens tout à l'heure.

---

21 *quel mal* : tel mal que.
22 *comme* : comment.
23 *j'entends* : je prétends.
24 *tu m'obligeras* : tu me rendras service.
25 *tenir la bride haute* : image empruntée à l'équitation. Pour bien conduire son cheval dans un endroit difficile, le cavalier relève la bride; le contraire est : laisser la bride sur le cou. Ici le sens est donc qu'il faut poursuivre avec fermeté l'éducation de la jeune fille.

110 VALÈRE / Oui, l'argent est plus précieux que toutes les choses
du monde, et vous devez rendre grâces au Ciel de l'honnête
homme de père qu'il vous a donné. Il sait ce que c'est que
de vivre. Lorsqu'on s'offre de prendre une fille sans dot,
on ne doit point regarder plus avant. Tout est renfermé
115 là-dedans, et SANS DOT tient lieu de beauté, de jeunesse et
de naissance, d'honneur, de sagesse et de probité.
HARPAGON / Ah! le brave garçon! Voilà parlé comme un
oracle. Heureux qui peut avoir un domestique de la sorte!

QUESTIONS en vue de l'explication de la scène 5 :

1 *Montrez que les personnages, au cours de cette scène, sont dans une situation de comédie. Précisez en particulier la situation de Valère.*

2 *Pourquoi chaque réplique de Valère est-elle composée de deux parties, dont la deuxième va en sens contraire de la première ?*

3 *Quelle est la signification et la force comique de la répétition des mots « sans dot » ?*

4 *Pourquoi Molière fait-il sortir Harpagon, au milieu de la scène ? Trouve-t-il un bon prétexte pour le faire sortir ?*

5 *Les conseils que Valère donne à Élise, quand ils sont en tête-à-tête, sont-ils conformes à ce que nous savons de son caractère ?*

6 *En quoi sont comiques les paroles par lesquelles Harpagon confie à Valère l'éducation de sa fille ?*

7 *Quel doit être le ton de la dernière réplique de Valère : « Oui, l'argent est plus précieux... », et quel est l'effet produit par ces paroles sur Harpagon ?*

Une EXPOSITION rapide et romanesque.

Valère aime Élise, Cléante aime Mariane : intrigues romanesques, car :

— Valère a sauvé la vie à Élise et est entré sous un déguisement
dans la maison de son père.

— Cléante aime une jeune fille pauvre, à qui il fait paraître un
dévouement plein de générosité.

Deux amoureux bien différents l'un de l'autre.

Les deux premières scènes, symétriques, présentent, comme en
deux médaillons, deux portraits d'amoureux bien différents :

— **Valère,** sombre et compassé,

— **Cléante,** ardent et emporté.

Une entrée bien préparée est celle d'Harpagon à la scène 3,
qui montre une première peinture, très amusante, de l'avarice.
Première péripétie, qui plonge le spectateur au cœur de l'intrigue :
Harpagon veut épouser Mariane et marier sa fille à un riche
vieillard; la situation de Cléante et d'Élise est donc très critique.

Au moment où le rideau tombe sur l'acte I,

• l'intrigue est bien engagée et la curiosité du spectateur est
éveillée :

• comment des amoureux si sympathiques vont-ils triompher
d'obstacles en apparence insurmontables ?

ACTE II

(handwritten note in margin: besoin de l'argent pour vivre et le marriage)

(handwritten note in margin: stuff / une vie...)

CLÉANTE / Ah! traître que tu es, où t'es-tu donc allé fourrer? Ne t'avais-je pas donné ordre…

LA FLÈCHE / Oui, monsieur, et je m'étais rendu ici pour vous attendre de pied ferme; mais monsieur[1] votre père, le plus
5 malgracieux des hommes, m'a chassé dehors malgré moi[2], et j'ai couru risque d'être battu.

CLÉANTE / Comment va notre affaire? Les choses pressent plus que jamais; et depuis que je ne t'ai vu, j'ai découvert que mon père est mon rival.

10 LA FLÈCHE / Votre père amoureux?

CLÉANTE / Oui; et j'ai eu toutes les peines du monde à lui cacher le trouble où cette nouvelle m'a mis.

LA FLÈCHE / Lui se mêler d'aimer! De quoi diable s'avise-t-il? Se moque-t-il du monde? Et l'amour a-t-il été fait
15 pour des gens bâtis comme lui?

CLÉANTE / Il a fallu, pour mes péchés[3], que cette passion lui soit venue en tête.

LA FLÈCHE / Mais par quelle raison lui faire un mystère de votre amour?

20 CLÉANTE / Pour lui donner moins de soupçon, et me conserver au besoin des ouvertures[4] plus aisées pour détourner ce mariage. Quelle réponse t'a-t-on faite?

---

1 *monsieur* : La Flèche se moque d'Harpagon, en employant, par dérision, un terme de grand respect.

2 *dehors malgré moi* : chasser quelqu'un, c'est le mettre dehors malgré lui. Ce pléonasme est une plaisanterie de La Flèche, qui feint la naïveté d'un valet ignorant et borné; c'est un pince-sans-rire; il veut faire enrager Cléante.

3 *péchés* : pour la punition de mes péchés, c'est-à-dire : pour mon malheur.

4 *ouvertures* : voies, moyens.

ACTE II, SCÈNE I

LA FLÈCHE / Ma foi! monsieur, ceux qui empruntent sont
bien malheureux; et il faut essuyer[5] d'étranges choses lors-
25 qu'on est réduit à passer, comme vous, par les mains des
fesse-mathieux[6].

CLÉANTE / L'affaire ne se fera point?

LA FLÈCHE / Pardonnez-moi[7]. Notre maître Simon, le courtier qu'on nous a donné[8], homme agissant et plein de zèle,
30 dit qu'il a fait rage pour vous; et il assure que votre seule
physionomie lui a gagné le cœur.

CLÉANTE / J'aurai les quinze mille francs que je demande?

LA FLÈCHE / Oui; mais à quelques petites conditions, qu'il
faudra que vous acceptiez, si vous avez dessein que les choses
35 se fassent.

CLÉANTE / T'a-t-il fait parler à celui qui doit prêter l'argent?

LA FLÈCHE / Ah! vraiment, cela ne va pas de la sorte. Il
apporte encore plus de soin à se cacher que vous, et ce sont
des mystères bien plus grands que vous ne pensez. On ne
40 veut point du tout dire son nom, et l'on doit aujourd'hui
l'aboucher avec vous[9], dans une maison empruntée, pour
être instruit, par votre bouche, de votre bien et de votre
famille; et je ne doute point que le seul nom de votre père
ne rende les choses faciles[10].

45 CLÉANTE / Et principalement notre mère étant morte, dont
on ne peut m'ôter le bien[11].

LA FLÈCHE / Voici quelques articles qu'il a dictés lui-même
à notre entremetteur[12], pour vous êtes montrés avant que
de rien faire :

---

5 *essuyer* : subir.
6 *fesse-mathieu* : terme populaire, pour désigner un usurier
   (celui qui prête à gros intérêt). Le mot fait sans doute
   allusion à saint Matthieu, qui était usurier, avant de devenir
   apôtre du Christ.
7 *pardonnez-moi* : formule polie pour contredire. Donc
   La Flèche veut dire : si fait, elle se fera.
8 *donné* : l'intermédiaire auquel on nous a adressés.
9 *l'aboucher avec vous* : vous procurer un entretien avec lui.
10 *faciles* : le nom d'Harpagon suffira à faciliter l'opération,
   car il a la réputation d'être très riche.
11 *le bien* : la fortune que Cléante a héritée de sa mère est
   gérée par son père, tuteur légal.
12 *entremetteur* : intermédiaire (le courtier dont il a été question plus haut).

50 *Supposé que le prêteur voie toutes ses sûretés[13], et que l'emprunteur soit majeur, et d'une famille où le bien soit ample, solide, assuré, clair, et net de tout embarras[14], on fera une bonne et exacte obligation[15] par-devant un notaire, le plus honnête homme qu'il se pourra[16], et qui, pour cet effet, sera*
55 *choisi par le prêteur, auquel il importe le plus que l'acte soit dûment dressé.*

CLÉANTE / Il n'y a rien à dire à cela.

LA FLÈCHE / *Le prêteur, pour ne charger sa conscience d'aucun scrupule, prétend ne donner son argent qu'au denier*
60 *dix-huit[17].*

CLÉANTE / Au denier dix-huit? Parbleu! voilà qui est honnête. Il n'y a pas lieu de se plaindre.

LA FLÈCHE / Cela est vrai.

Mais comme ledit prêteur n'a pas chez lui la somme dont il
65 *est question, et que pour faire plaisir à l'emprunteur, il est contraint lui-même de l'emprunter d'un autre, sur le pied du denier cinq[18], il conviendra que ledit premier emprunteur paye cet intérêt, sans préjudice du reste, attendu que ce n'est que pour l'obliger[19] que ledit prêteur s'engage à cet emprunt.*
70 CLÉANTE / Comment diable! quel Juif, quel Arabe[20] est-ce là? C'est plus qu'au denier quatre[21].

LA FLÈCHE / Il est vrai; c'est ce que j'ai dit. Vous avez à voir là-dessus[22].

CLÉANTE / Que veux-tu que je voie? J'ai besoin d'argent;
75 et il faut bien que je consente à tout.

---

13 *sûretés* : que le prêteur ait toutes garanties (pour le remboursement de la dette).
14 *embarras* : que le patrimoine ne soit engagé par aucun emprunt antérieur.
15 *obligation* : reconnaissance de dette.
16 *pourra* : plaisanterie; Molière laisse entendre qu'il n'est pas facile de trouver un notaire honnête.
17 *au denier dix-huit* : à un denier d'intérêt pour dix-huit deniers prêtés. Ce n'est presque pas plus que le taux légal (denier vingt = 5 %).
18 *denier cinq* : 20 % taux exorbitant (quadruple du taux légal).
19 *l'obliger* : lui rendre service.
20 *Arabe* : les Juifs et les Arabes passaient pour des hommes d'affaires très cupides et durs.
21 *denier quatre* : 25 % (usure scandaleuse).
22 *à voir là-dessus* : à réfléchir à ce sujet.

LA FLÈCHE / C'est la réponse que j'ai faite.

CLÉANTE / Il y a encore quelque chose ?

LA FLÈCHE / Ce n'est plus qu'un petit article.

Des quinze mille francs qu'on demande, le prêteur ne pourra
80 *compter en argent que douze mille livres, et pour les mille écus*[23]
restants, il faudra que l'emprunteur prenne les hardes, nippes[24]
et bijoux dont s'ensuit le mémoire, et que ledit prêteur a mis,
de bonne foi, au plus modique prix qu'il lui a été possible.

CLÉANTE / Que veut dire cela ?

85 LA FLÈCHE / Écoutez le mémoire.

Premièrement un lit de quatre pieds, à bandes de points de
Hongrie[25], *appliquées fort proprement*[26] *sur un drap de cou-*
leur d'olive, avec six chaises et la courte-pointe[27] *de même ;*
le tout bien conditionné, et doublé d'un petit taffetas chan-
90 *geant rouge et bleu.*

Plus, un pavillon[28] *à queue, d'une bonne serge d'Aumale rose-*
sèche, avec le mollet[29] *et les franges de soie.*

CLÉANTE / Que veut-il que je fasse de cela ?

LA FLÈCHE / Attendez.

95 *Plus, une tenture de tapisserie des amours de Gombaut et de*
Macée[30].

Plus, une grande table de bois de noyer, à douze colonnes ou
piliers tournés, qui se tire par les deux bouts, et garnie par
le dessous de ses six escabelles[31].

---

23 *mille écus* : trois mille livres (ou : francs).
24 *hardes, nippes* : hardes se disait de ce qui sert à l'habille-
    ment, mais aussi des meubles ; nippes désignait surtout le
    linge. Aucun de ces deux mots n'avait le sens péjoratif qu'il
    a pris ensuite.
25 *points de Hongrie* : sorte de tapisserie.
26 *proprement* : avec élégance.
27 *courte-pointe* : couverture piquée.
28 *pavillon* : garniture de lit, attachée au plafond et ayant la
    forme d'une tente.
29 *mollet* : petite frange, large d'un travers de doigt, qui ser-
    vait à garnir les étoffes d'ameublement.
30 *de Gombaut et de Macée* : roman bucolique à la mode sous
    le règne d'Henri IV.
31 *escabelles* : petits sièges sans dossier, qui pouvaient se
    ranger sous la table ; la table elle-même pouvait être
    agrandie « en se tirant par les deux bouts ».

100 CLÉANTE / Qu'ai-je affaire, morbleu...?

LA FLÈCHE / Donnez-vous[32] patience.

Plus, trois gros mousquets tout garnis de nacre de perles, avec les trois fourchettes[33] assortissantes.

Plus, un fourneau de brique, avec deux cornues, et trois réci-
105 *pients, fort utiles à ceux qui sont curieux de distiller.*

CLÉANTE / J'enrage.

LA FLÈCHE / Doucement.

Plus, un luth de Bologne, garni de toutes ses cordes, ou peu s'en faut[34].

110 *Plus, un trou-madame[35] et un damier, avec un jeu de l'oie renou-velé des Grecs, fort propres à passer le temps lorsque l'on n'a que faire.*

Plus, une peau d'un lézard, de trois pieds et demi, remplie de foin, curiosité agréable pour pendre au plancher[36] d'une
115 *chambre.*

Le tout, ci-dessus mentionné, valant loyalement plus de quatre mille cinq cents livres, et rabaissé à la valeur de mille écus, par la discrétion[37] du prêteur.

CLÉANTE / Que la peste l'étouffe avec sa discrétion, le traître,
120 le bourreau qu'il est! A-t-on jamais parlé d'une usure sem-blable? Et n'est-il pas content du furieux[38] intérêt qu'il exige, sans vouloir encore m'obliger à prendre pour trois mille livres les vieux rogatons[39] qu'il ramasse? Je n'aurai pas deux cents écus de tout cela; et cependant il faut bien
125 me résoudre à consentir à ce qu'il veut; car il est en état de me faire tout accepter, et il me tient, le scélérat, le poi-gnard sur la gorge.

---

32 *donnez-vous* : prenez.

33 *fourchette* : bâton terminé par une fourche, que l'on piquait en terre, pour appuyer le mousquet, au moment de tirer.

34 *ou peu s'en faut* : trait comique, car il suffit qu'il manque une corde pour que l'instrument soit inutilisable.

35 *trou-madame* : jeu ressemblant à ce que l'on appelle aujour-d'hui billard japonais.

36 *plancher* : plafond.

37 *discrétion* : modération.

38 *furieux* : excessif (mot du vocabulaire précieux).

39 *rogatons* : ce qu'on obtient en quêtant (du latin *rogatum*), bribes et restes de repas, par suite, ici: objets sans valeur.

LA FLÈCHE / Je vous vois, monsieur, ne vous en déplaise,
dans le grand chemin justement que tenait Panurge[40] pour se
130 ruiner, prenant argent d'avance, achetant cher, vendant
à bon marché, et mangeant son blé en herbe[41].

CLÉANTE / Que veux-tu que j'y fasse? Voilà où les jeunes
gens sont réduits par la maudite avarice des pères; et on
s'étonne après cela que les fils souhaitent qu'ils meurent.

135 LA FLÈCHE / Il faut avouer que le vôtre animerait contre
sa vilanie[42] le plus posé homme du monde. Je n'ai pas,
Dieu merci, les inclinations fort patibulaires[43]; et parmi mes

(annotation manuscrite: damn greed)

(annotation manuscrite: He knows now that the other is his father)

---

40 *Panurge* : l'ami du géant Pantagruel, dans le roman de
Rabelais.
41 *mangeant son blé en herbe* : l'expression se trouve dans
Rabelais, et signifie : se livrant à une folle prodigalité.
42 *vilanie* (aujourd'hui : vilenie) : avarice sordide.
43 *patibulaires* : qui peuvent conduire au gibet (où l'on pendait les condamnés à mort).

QUESTIONS en vue de l'explication de la scène 1 :

1 *Comment la scène 1 prépare-t-elle le coup de théâtre de la
scène suivante? Comment Molière a-t-il rendu vraisemblable
la rencontre de la scène 2?*

2 *Montrer la progression de la scène 1. Comment l'auteur s'y
prend-il pour faire monter peu à peu la colère de Cléante contre
son prêteur?*

3 *Dans la pièce de Boisrobert, La Belle Plaideuse, que Molière
imite, le prêteur ne fournit que trois mille livres en espèces sur
les quinze mille. Molière a-t-il eu raison de renverser la proportion?*

4 *En quoi la liste des objets fournis par le prêteur est-elle comique?
Dans quel ordre ces objets sont-ils énumérés?*

5 *Apprécier l'attitude de La Flèche tout au long de la scène.
Pourquoi revient-il, à la fin, sur l'avarice d'Harpagon?*

6 *Quel est l'état d'esprit de Cléante à la fin de la scène 1?*

confrères que je vois se mêler de beaucoup de petits commerces, je sais tirer adroitement mon épingle du jeu[44], et
140   me démêler prudemment de toutes les galanteries[45] qui
sentent tant soit peu l'échelle[46]; mais, à vous dire vrai, il
me donnerait, par ses procédés, des tentations de le voler;
et je croirais, en le volant, faire une action méritoire.

CLÉANTE / Donne-moi un peu ce mémoire, que je le voie
145   encore.

SCÈNE II : MAÎTRE SIMON, HARPAGON, CLÉANTE, LA FLÈCHE

MAÎTRE SIMON / Oui, monsieur[1], c'est un jeune homme qui
a besoin d'argent. Ses affaires le pressent d'en trouver, et
il en passera par tout ce que vous en[2] prescrirez.

HARPAGON / Mais croyez-vous, maître Simon, qu'il n'y ait
5   rien à péricliter[3]? et savez-vous le nom, les biens, et la
famille de celui pour qui vous parlez?

MAÎTRE SIMON / Non, je ne puis pas bien vous en instruire
à fond, et ce n'est que par aventure que l'on m'a adressé
à lui; mais vous serez de toutes choses éclairci par lui-
10   même; et son homme[4] m'a assuré que vous serez content,
quand vous le connaîtrez. Tout ce que je saurais vous dire,
c'est que sa famille est fort riche, qu'il n'a plus de mère déjà,
et qu'il s'obligera, si vous voulez, que son père mourra[5]
avant qu'il soit huit mois.

---

44   *tirer son épingle du jeu* : expression populaire signifiant :
se dégager adroitement d'une mauvaise affaire (dans la
langue familière d'aujourd'hui : sauver la mise).
45   *galanteries* : intrigues malhonnêtes, fourberies.
46   *l'échelle :* par laquelle on monte au gibet.
1   *Oui, monsieur...* En entrant, Harpagon et maître Simon
continuent une conversation commencée, sans apercevoir
La Flèche et Cléante, qui sont placés de l'autre côté de la
scène.
2   *en :* à ce sujet.
3   *rien à péricliter* : rien à risquer. Ce verbe est employé au
sens transitif, ce qui est inhabituel.
4   *son homme :* son homme de confiance ; il s'agit de La Flèche.
5   *il s'obligera que son père mourra* : il s'engagera à ce que
son père meure.

15 HARPAGON / C'est quelque chose que cela. La charité, maître Simon, nous oblige à faire plaisir aux personnes, lorsque nous le pouvons.

MAÎTRE SIMON / Cela s'entend[6].

LA FLÈCHE / Que veut dire ceci? Notre maître Simon qui
20 parle à votre père.

CLÉANTE / Lui aurait-on appris qui je suis? et serais-tu pour nous trahir[7]?

MAÎTRE SIMON / Ah! ah! vous[8] êtes bien pressés! Qui vous a dit que c'était céans[9]? Ce n'est pas moi, monsieur[10], au moins,
25 qui leur ai découvert votre nom et votre logis : mais, à mon avis, il n'y a pas grand mal à cela. Ce sont des personnes discrètes, et vous pouvez ici vous expliquer ensemble.

HARPAGON / Comment?

MAÎTRE SIMON / Monsieur est la personne qui veut vous
30 emprunter les quinze mille livres dont je vous ai parlé.

HARPAGON / Comment, pendard! c'est toi qui t'abandonnes à ces coupables extrémités?

CLÉANTE / Comment, mon père? c'est vous qui vous portez à ces honteuses actions?

35 HARPAGON / C'est toi qui te veux ruiner par des emprunts si condamnables?

CLÉANTE / C'est vous qui cherchez à vous enrichir par des usures si criminelles?

HARPAGON / Oses-tu bien, après cela, paraître devant moi?

40 CLÉANTE / Osez-vous bien, après cela, vous présenter aux yeux du monde?

HARPAGON / N'as-tu point de honte, dis-moi, d'en venir à ces débauches-là? de te précipiter dans des dépenses effroyables? et de faire une honteuse dissipation du bien que tes
45 parents t'ont amassé avec tant de sueurs?

CLÉANTE / Ne rougissez-vous point de déshonorer votre condition[11] par les commerces que vous faites? de sacrifier

confrontation

---

6 *cela s'entend :* formule qui sert à approuver (oui, bien sûr).
7 *serais-tu pour :* serais-tu capable de.
8 *vous :* il parle à Cléante et à La Flèche, qu'il a aperçus.
9 *céans :* ici dedans, dans la maison.
10 *monsieur :* il s'adresse maintenant à Harpagon.
11 *condition :* rang. Harpagon appartient à la haute bourgeoisie.

gloire[12] et réputation au désir insatiable d'entasser écu sur
écu, et de renchérir, en fait d'intérêts, sur les plus infâmes
50 subtilités qu'aient jamais inventées les plus célèbres usuriers?

HARPAGON / Ote-toi de mes yeux, coquin! ôte-toi de mes
yeux!

CLÉANTE / Qui est plus criminel, à votre avis, ou celui
qui achète un argent dont il a besoin, ou bien celui qui vole
55 un argent dont il n'a que faire?

HARPAGON / Retire-toi, te dis-je, et ne m'échauffe pas les
oreilles[13]. Je ne suis pas fâché de cette aventure; et ce m'est
un avis de tenir l'œil, plus que jamais, sur toutes ses actions.

SCÈNE III : FROSINE, HARPAGON

l'arrivée de Frosine et l'avarie de Harp.

FROSINE / Monsieur...

HARPAGON / Attendez un moment; je vais revenir vous
parler. (*A part.*) Il est à propos que je fasse un petit tour à
mon argent.

SCÈNE IV : LA FLÈCHE, FROSINE *l'entremetteuse matchmaker*

LA FLÈCHE / L'aventure est tout à fait drôle. Il faut bien
qu'il ait quelque part un ample magasin de hardes; car nous
n'avons rien reconnu au mémoire que nous avons.

FROSINE / Hé! c'est toi, mon pauvre La Flèche! D'où vient
5 cette rencontre?

LA FLÈCHE / Ah! ah! c'est toi, Frosine. Que viens-tu faire ici?

FROSINE / Ce que je fais partout ailleurs : m'entremettre
d'affaires[1], me rendre serviable aux gens, et profiter du
mieux qu'il m'est possible des petits talents que je puis
10 avoir. Tu sais que dans ce monde il faut vivre d'adresse,
et qu'aux personnes comme moi le Ciel n'a donné d'autres
rentes que l'intrigue et que l'industrie[2].

---

12   *gloire* : honneur.
13   *oreilles.* Cléante sort à ce moment-là, et Harpagon reste
     seul. La Flèche et maître Simon s'étaient enfuis dès le
     début de la dispute.
 1   *m'entremettre d'affaires :* servir d'intermédiaire dans cer-
     taines affaires.
 2   *industrie :* adresse, ruse.

LA FLÈCHE / As-tu quelque négoce avec le patron du log

FROSINE / Oui, je traite pour lui quelque petite affaire, de

15 j'espère une récompense.

LA FLÈCHE / De lui? Ah, ma foi! tu seras bien fine si tu

tires quelque chose; et je te donne avis que l'argent céar

est fort cher[4].

FROSINE / Il y a de certains services qui touchent merve

20 leusement.

LA FLÈCHE / Je suis votre valet[5], et tu ne connais pas enco

le seigneur Harpagon. Le seigneur Harpagon est de tous

humains l'humain le moins humain[6], le mortel de tous

mortels le plus dur et le plus serré. Il n'est point de serv

25 qui pousse sa reconnaissance jusqu'à lui faire ouvrir

mains. De la louange, de l'estime, de la bienveillance

paroles, et de l'amitié tant qu'il vous plaira; mais de l'arger

point d'affaires[7]. Il n'est rien de plus sec et de plus ari

que ses bonnes grâces et ses caresses; et *donner* est un m

30 pour qui il a tant d'aversion, qu'il ne dit jamais : *Je vo*

donne, mais : *Je vous prête le bonjour.*

FROSINE / Mon Dieu! je sais l'art de traire[8] les homme

j'ai le secret de m'ouvrir leur tendresse, de chatouiller leu

cœurs, de trouver les endroits par où ils sont sensibles.

35 LA FLÈCHE / Bagatelles ici. Je te défie d'attendrir, du cô

de l'argent, l'homme dont il est question. Il est Turc[9]

dessus, mais d'une turquerie à désespérer tout le mon

et l'on pourrait crever, qu'il n'en branlerait[10] pas. En

La Flèche prévient Frosine
qu'elle ne reçoit pas de l'argen.

---

3 *céans :* dans cette maison.

4 *fort cher :* très difficile à gagner.

5 *je suis votre valet :* formule polie pour contredire, mais
   qui prend ici une valeur comique, car La Flèche est réellement un valet.

6 *humain :* jeu de mots sur le double sens de humain :
   1° qui appartient au genre humain,
   2° charitable, miséricordieux.

7 *point d'affaires :* en aucune façon.

8 *traire les hommes :* leur soutirer de l'argent; allusion à
   l'expression proverbiale : « en faire des vaches à lait ».

9 *Turc :* insensible comme un Turc.

10 *branlerait :* bougerait.

mot, il aime l'argent plus que réputation, qu'honneur et que
40 vertu; et la vue d'un demandeur lui donne des convulsions.
C'est le frapper par son endroit mortel, c'est lui percer le
cœur, c'est lui arracher les entrailles; et si... Mais il revient;
je me retire.

*Frosine convaincre Harp que Mar. apporte 12,000 fr.
par an. Elle est simple*

SCÈNE V : HARPAGON, FROSINE

HARPAGON, *à part* / Tout va comme il faut. (*Haut.*) Hé
bien! qu'est-ce, Frosine?
FROSINE / Ah, mon Dieu! que vous vous portez bien! et
que vous avez là un vrai visage de santé!
5 HARPAGON / Qui, moi?
FROSINE / Jamais je ne vous vis un teint si frais et si gaillard.
HARPAGON / Tout de bon!
FROSINE / Comment? vous n'avez de votre vie été si jeune
que vous êtes; et je vois des gens de vingt-cinq ans qui sont
10 plus vieux que vous.
HARPAGON / Cependant, Frosine, j'en ai soixante bien
comptés.
FROSINE / Hé bien! qu'est-ce que cela, soixante ans? Voilà
bien de quoi[1]! C'est la fleur de l'âge cela, et vous entrez
15 maintenant dans la belle saison de l'homme.
HARPAGON / Il est vrai; mais vingt années de moins pourtant ne me feraient point de mal, que je crois[2].
FROSINE / Vous moquez-vous? Vous n'avez pas besoin de
cela, et vous êtes d'une pâte à vivre jusques à cent ans.
20 HARPAGON / Tu le crois?
FROSINE / Assurément. Vous en avez toutes les marques.
Tenez-vous[3] un peu. Oh! que voilà bien là, entre vos deux
yeux, un signe de longue vie!
HARPAGON / Tu te connais à cela?
25 FROSINE / Sans doute. Montrez-moi votre main. Ah, mon
Dieu! quelle ligne de vie!

---

1 *de quoi :* de quoi se plaindre.
2 *que je crois :* à ce que je crois.
3 *tenez-vous :* tenez-vous immobile, pour que je vous examine.

HARPAGON / Comment?

FROSINE / Ne voyez-vous pas jusqu'où va cette ligne-là?

HARPAGON / Hé bien! qu'est-ce que cela veut dire?

30 FROSINE / Par ma foi! je disais cent ans, mais vous passerez les six-vingts[4].

HARPAGON / Est-il possible?

FROSINE / Il faudra vous assommer, vous dis-je; et vous mettrez en terre et vos enfants, et les enfants de vos enfants.

35 HARPAGON / Tant mieux. Comment va notre affaire?

FROSINE / Faut-il le demander? et me voit-on mêler[5] de rien dont je ne vienne à bout? J'ai surtout pour les mariages un talent merveilleux; il n'est point de partis au monde que je ne trouve en peu de temps le moyen d'accoupler; et je crois,
40 si je me l'étais mis en tête, que je marierais le Grand Turc avec la République de Venise[6]. Il n'y avait pas sans doute de si grandes difficultés à cette affaire-ci. Comme j'ai commerce[7] chez elles[8], je les ai à fond l'une et l'autre entretenues de vous, et j'ai dit à la mère le dessein que vous aviez conçu
45 pour Mariane, à la voir passer dans la rue, et prendre l'air à sa fenêtre.

HARPAGON / Qui a fait réponse[9]...

FROSINE / Elle a reçu la proposition avec joie; et quand je lui ai témoigné que vous souhaitiez fort que sa fille assistât
50 ce soir au contrat de mariage qui se doit faire de la vôtre[10], elle y a consenti sans peine, et me l'a confiée pour cela.

HARPAGON / C'est que je suis obligé, Frosine, de donner à souper au seigneur Anselme; et je serai bien aise qu'elle soit du régale[11].

---

4 *six-vingts* : cent vingt (nous disons de même : quatre-vingts).
5 *mêler* : me mêler.
6 *de Venise* : deux puissances qui étaient traditionnellement ennemies.
7 *j'ai commerce* : je suis en bonnes relations.
8 *elles* : Mariane et sa mère.
9 *qui a fait réponse* : Harpagon est impatient de connaître la réponse de la mère de Mariane.
10 *de la vôtre* : de votre fille.
11 *régale* : ancienne orthographe du mot : régal (festin que l'on offre à quelqu'un).

55 FROSINE / Vous avez raison. Elle doit après dîné rendre
visite à votre fille, d'où elle fait son compte d'aller[12] faire
un tour à la foire, pour venir ensuite au souper.

HARPAGON / Hé bien! elles iront ensemble dans mon carrosse, que je leur prêterai.

60 FROSINE / Voilà justement son affaire.

HARPAGON / Mais, Frosine, as-tu entretenu la mère touchant
le bien qu'elle peut donner à sa fille? Lui as-tu dit qu'il
fallait qu'elle s'aidât un peu, qu'elle fît quelque effort, qu'elle
se saignât[13] pour une occasion comme celle-ci? Car encore
65 n'épouse-t-on point une fille, sans qu'elle apporte quelque
chose.

FROSINE / Comment? c'est une fille qui vous apportera
douze mille livres de rente.

HARPAGON / Douze mille livres de rente!

70 FROSINE / Oui. Premièrement, elle est nourrie et élevée dans
une grande épargne de bouche[14]; c'est une fille accoutumée
à vivre de salade, de lait, de fromage et de pommes, et à
laquelle par conséquent il ne faudra ni table bien servie, ni
consommés exquis, ni orges mondés[15] perpétuels, ni les
75 autres délicatesses qu'il faudrait pour une autre femme; et
cela ne va pas à si peu de chose, qu'il ne monte bien, tous
les ans, à trois mille francs pour le moins. Outre cela, elle
n'est curieuse que d'une propreté[16] fort simple, et n'aime
point les superbes habits, ni les riches bijoux, ni les meubles
80 somptueux, où donnent[17] ses pareilles avec tant de chaleur;
et cet article-là vaut plus de quatre mille livres par an. De
plus, elle a une aversion horrible pour le jeu, ce qui n'est
pas commun aux femmes d'aujourd'hui; et j'en sais une
de nos quartiers qui a perdu, à trente-et-quarante[18], vingt

---

12 *elle fait son compte d'aller :* elle compte aller.
13 *qu'elle se saignât :* qu'elle fît des sacrifices d'argent.
14 *épargne de bouche :* économie sur la nourriture.
15 *orges mondés :* sirops faits avec de l'orge nettoyé de sa
    balle; les dames en prenaient pour se conserver le teint
    frais.
16 *elle n'est curieuse que d'une propreté :* elle n'est désireuse
    que d'une élégance.
17 *où donnent :* où se portent avec passion.
18 *à trente-et-quarante :* jeu de cartes très pratiqué à cette
    époque.

85 mille francs cette année. Mais n'en prenons rien que le
quart. Cinq mille francs au jeu par an, et quatre mille francs
en habits et bijoux, cela fait neuf mille livres; et mille écus[19]
que nous mettons pour la nourriture, ne voilà-t-il pas par
année vos douze mille francs bien comptés?

90 HARPAGON / Oui, cela n'est pas mal; mais ce compte-là n'est
rien de réel.

FROSINE / Pardonnez-moi. N'est-ce pas quelque chose de
réel, que de vous apporter en mariage une grande sobriété,
l'héritage d'un grand amour de simplicité de parure, et
95 l'acquisition d'un grand fonds de haine pour le jeu?

HARPAGON / C'est une raillerie que de vouloir me constituer
son dot[20] de toutes les dépenses qu'elle ne fera point. Je
n'irai pas donner quittance de ce que je ne reçois pas; et
il faut bien que je touche quelque chose.

100 FROSINE / Mon Dieu! vous toucherez assez; et elles m'ont
parlé d'un certain pays où elles ont du bien dont vous serez
le maître.

HARPAGON / Il faudra voir cela. Mais, Frosine, il y a encore
une chose qui m'inquiète. La fille est jeune, comme tu vois;
105 et les jeunes gens d'ordinaire n'aiment que leurs semblables,
ne cherchent que leur compagnie. J'ai peur qu'un homme
de mon âge ne soit pas de son goût; et que cela ne vienne à
produire chez moi certains petits désordres qui ne m'accommoderaient[21] pas.

110 FROSINE / Ah! que vous la connaissez mal! C'est encore une
particularité que j'avais à vous dire. Elle a une aversion
épouvantable pour tous les jeunes gens, et n'a de l'amour
que pour les vieillards.

HARPAGON / Elle?

115 FROSINE / Oui, elle. Je voudrais que vous l'eussiez entendu[22]
parler là-dessus. Elle ne peut souffrir du tout la vue d'un
jeune homme; mais elle n'est point plus ravie, dit-elle, que

---

19 *mille écus* : trois mille francs.
20 *son dot* : sa dot; le mot hésitait alors entre le masculin et
le féminin.
21 *accommoderaient* : conviendraient.
22 *entendu* : le participe ne s'accorde pas, à cause de l'infinitif qui suit.

lorsqu'elle peut voir un beau vieillard avec une barbe majes-
tueuse. Les plus vieux sont pour elle les plus charmants,
120 et je vous avertis[23] de n'aller pas vous faire plus jeune que
vous êtes. Elle veut tout au moins qu'on soit sexagénaire;
et il n'y a pas quatre mois encore, qu'étant prête[24] d'être
mariée, elle rompit tout net le mariage, sur ce que[25] son
amant[26] fit voir qu'il n'avait que cinquante-six ans, et qu'il
125 ne prit point de lunettes pour signer le contrat.

HARPAGON / Sur cela seulement?

FROSINE / Oui. Elle dit que ce n'est pas contentement pour
elle que cinquante-six ans; et surtout, elle est pour les nez
qui portent des lunettes.

130 HARPAGON / Certes, tu me dis là une chose toute nouvelle.

FROSINE / Cela va plus loin qu'on ne vous peut dire. On lui
voit dans sa chambre quelques tableaux et quelques estampes;
mais que pensez-vous que ce soit? Des Adonis[27]? des Cé-
phales[28]? des Pâris[29]? et des Apollons[30]? Non : de beaux
135 portraits de Saturne[31], du roi Priam[32], du vieux Nestor[33],
et du bon père Anchise[34] sur les épaules de son fils.

HARPAGON / Cela est admirable! Voilà ce que je n'aurais
jamais pensé; et je suis bien aise d'apprendre qu'elle est

---

23 *avertis :* conseille.
24 *prête de :* nous dirions « près de »; la confusion entre les
    deux mots est fréquente au XVIIe siècle.
25 *sur ce que :* parce que.
26 *amant :* fiancé.
27 *Adonis :* beau jeune homme aimé par Aphrodite (Vénus)
    et par Perséphone (Proserpine).
28 *Céphale :* époux de Procris, aimé par l'Aurore à cause de
    sa beauté.
29 *Pâris :* le héros troyen qui enleva Hélène et causa ainsi la
    guerre de Troie.
30 *Apollon :* dieu de la poésie et père des muses, symbole de
    la beauté masculine, dans la statuaire grecque.
31 *Saturne :* le père de Jupiter et de plusieurs grands dieux,
    celui qui dévorait ses enfants.
32 *Priam :* roi de Troie, père de cinquante fils et de cinquante
    filles.
33 *Nestor :* le plus vieux des chefs grecs qui combattaient
    contre Troie.
34 *Anchise :* le père du Troyen Énée, qui l'emporta sur ses
    épaules en quittant Troie.

de cette humeur. En effet, si j'avais été femme, je n'aurais
140 point aimé les jeunes hommes.

FROSINE / Je le crois bien. Voilà de belles drogues[35] que des
jeunes gens, pour les aimer! Ce sont de beaux morveux, de
beaux godelureaux[36], pour donner envie de leur peau; et
je voudrais bien savoir quel ragoût[37] il y a à eux.

145 HARPAGON / Pour moi, je n'y en comprends point[38]; et je
ne sais pas comment il y a des femmes qui les aiment tant.

FROSINE / Il faut être folle fieffée[39]. Trouver la jeunesse
aimable! est-ce avoir le sens commun? Sont-ce des hommes
que de jeunes blondins[40]? et peut-on s'attacher à ces animaux-
150 là?

HARPAGON / C'est ce que je dis tous les jours : avec leur ton[41]
de poule laitée[42], et leurs trois petits brins de barbe relevés
en barbe de chat[43], leurs perruques d'étoupes[44], leurs hauts-
de-chausses tout tombants, et leurs estomacs débraillés[45].

155 FROSINE / Eh! cela[46] est bien bâti, auprès d'une personne
comme vous. Voilà un homme cela[47]. Il y a là de quoi satis-
faire à la vue; et c'est ainsi qu'il faut être fait, et vêtu, pour
donner de l'amour.

---

35 *de belles drogues* : une belle marchandise, au sens ironique
(langage familier).
36 *godelureaux* : jeunes fats, qui font les jolis cœurs.
37 *ragoût* : assaisonnement, et, au figuré, tout ce qui excite le
plaisir.
38 *je n'y en comprends point* : je ne comprends pas quel
« ragoût » on leur trouve, quel plaisir on prend à les fré-
quenter.
39 *folle fieffée* : femme qui possède la folie comme un fief,
donc complètement folle.
40 *blondins* : jeunes gens; la mode, pour les jeunes élégants,
était de porter une perruque blonde.
41 *ton* : teint (de la peau).
42 *poule laitée* : on appelait ainsi un homme faible et efféminé.
43 *barbe de chat* : moustache (que l'on retroussait).
44 *d'étoupes* : d'un blond pâle, de la couleur de l'étoupe ou de
la filasse.
45 *débraillés* : les jeunes élégants laissaient bouffer la chemise,
dans l'ouverture du pourpoint, au-dessus du haut-de-
chausses, qui paraissait ainsi mal retenu et prêt à tomber.
46 *cela* : ces jeunes gens (avec une nuance de mépris).
47 *cela* : un homme comme vous (cette fois, avec une nuance
admirative).

HARPAGON / Tu me trouves bien?

160 FROSINE / Comment? vous êtes à ravir, et votre figure est
à peindre. Tournez-vous un peu, s'il vous plaît. Il ne se peut
pas mieux. Que je vous voie marcher. Voilà un corps taillé,
libre, et dégagé comme il faut, et qui ne marque[48] aucune
incommodité[49].

165 HARPAGON / Je n'en ai pas de grandes, Dieu merci. Il n'y a
que ma fluxion[50], qui me prend de temps en temps.

FROSINE / Cela n'est rien. Votre fluxion ne vous sied point
mal, et vous avez grâce à tousser.

HARPAGON / Dis-moi un peu : Mariane ne m'a-t-elle point
170 encore vu? N'a-t-elle point pris garde à moi en passant[51]?

FROSINE / Non; mais nous nous sommes fort entretenues de
vous. Je lui ai fait un portrait de votre personne; et je n'ai
pas manqué de lui vanter votre mérite, et l'avantage que ce
lui serait d'avoir un mari comme vous.

175 HARPAGON / Tu as bien fait, et je t'en remercie.

FROSINE / J'aurais, monsieur, une petite prière à vous faire.
(*Il prend un air sévère.*) J'ai un procès que je suis sur le
point de perdre, faute d'un peu d'argent; et vous pourriez
facilement me procurer le gain de ce procès, si vous aviez
180 quelque bonté pour moi. (*Il reprend un air gai.*) Vous ne
sauriez croire le plaisir qu'elle aura de vous voir. Ah! que
vous lui plairez! et que votre fraise à l'antique[52] fera sur son
esprit un effet admirable! Mais surtout elle sera charmée de
votre haut-de-chausses, attaché au pourpoint avec des
185 aiguillettes[53] : c'est pour[54] la rendre folle de vous; et un
amant aiguilleté sera pour elle un ragoût merveilleux.

HARPAGON / Certes, tu me ravis de me dire cela.

---

48 *marque* ; montre.
49 *incommodité* : infirmité, maladie.
50 *ma fluxion* : ma toux. Molière fait ici allusion à sa propre
maladie, qui semble ainsi faire partie du rôle.
51 *en passant* : lorsque je passais.
52 *fraise à l'antique* : vaste collerette amidonnée, qui était
à la mode du temps d'Henri IV (voir ses portraits). Harpagon est un peu en retard!
53 *aiguillettes* : lacets qui attachaient le haut-de-chausses
(la culotte) au pourpoint (la veste). Harpagon, ne se confor-
mant pas à la mode, n'a pas recouvert ces lacets de rubans.
54 *c'est pour* : cela est fait pour.

FROSINE (*Il reprend un visage sévère*) / En vérité, monsieur,
ce procès m'est d'une conséquence[55] tout à fait grande. Je
190 suis ruinée, si je le perds; et quelque petite assistance me
rétablirait mes affaires. (*Il reprend un air gai.*) Je voudrais
que vous eussiez vu le ravissement où elle était à m'entendre
parler de vous. La joie éclatait dans ses yeux, au récit de
vos qualités; et je l'ai mise enfin dans une impatience extrême
195 de voir ce mariage entièrement conclu.

HARPAGON / Tu m'as fait grand plaisir, Frosine; et je t'en
ai, je te l'avoue, toutes les obligations du monde.

FROSINE (*Il reprend son air sérieux*)/ Je vous prie, monsieur,
de me donner le petit secours que je vous demande. Cela me
200 remettra sur pied, et je vous en serai éternellement obligée.

HARPAGON / Adieu. Je vais achever mes dépêches[56].

FROSINE / Je vous assure, monsieur, que vous ne sauriez
jamais me soulager dans un plus grand besoin.

HARPAGON / Je mettrai ordre que mon carrosse soit tout
205 prêt pour vous mener à la foire.

FROSINE / Je ne vous importunerais pas, si je ne m'y voyais
forcée par la nécessité.

HARPAGON / Et j'aurai soin qu'on soupe de bonne heure,
pour ne vous point faire[57] malades.

210 FROSINE / Ne me refusez pas la grâce dont je vous sollicite[58].
Vous ne sauriez croire, monsieur, le plaisir que...

HARPAGON / Je m'en vais. Voilà qu'on m'appelle. Jusqu'à
tantôt.

FROSINE / Que la fièvre te serre[59], chien de vilain à tous les
215 diables[60]! Le ladre[61] a été ferme à[62] toutes mes attaques;
mais il ne me faut pas pourtant quitter la négociation; et
j'ai l'autre côté[63], en tout cas, d'où je suis assurée de tirer
bonne récompense.

---

55 *conséquence :* importance.
56 *dépêches :* lettres d'affaires.
57 *faire :* rendre.
58 *dont je vous sollicite :* que je sollicite de vous.
59 *te serre :* t'étrangle.
60 *à tous les diables :* que je souhaite voir aller en enfer.
61 *ladre :* avare (sens propre : lépreux).
62 *a été ferme à :* a résisté fermement à.
63 *l'autre côté :* sans doute Frosine pense-t-elle recevoir une
     récompense de la mère de Mariane.

QUESTIONS en vue de l'explication de la scène 5 :

1 *Comment cette scène a-t-elle été préparée par la scène 4 ?*

2 *Comment Frosine s'y prend-elle pour capter dès le début la confiance d'Harpagon ?*

3 *Commentez la réplique d'Harpagon « tant mieux! », en montrant ce qu'elle ajoute à la peinture du personnage.*

4 *Dans le déroulement du dialogue entre Frosine et Harpagon, à quel moment celui-ci se montre-t-il crédule et à quel moment se montre-t-il méfiant? Montrez la valeur comique de la réplique : « cela est admirable ».*

5 *Quelle est la valeur satirique du passage où Frosine cherche à démontrer que les habitudes d'économie valent mieux qu'une dot ?*

6 *Expliquez le jeu de scène, à la fin, au moment où Frosine tente d'extorquer de l'argent à Harpagon. En quoi est-il comique ?*

7 *Prouvez que, si cette scène ne fait pas progresser l'action, Molière ne sort nullement de son sujet en montrant Harpagon amoureux, mais qu'il complète ainsi la peinture de l'avarice.*

FAISONS LE POINT

• **L'acte II n'a pas apporté d'élément nouveau à la double intrigue amoureuse de Valère et d'Élise, de Cléante et de Mariane.** Cependant la situation de ces deux derniers s'est aggravée. On savait déjà, à la fin de l'acte I, que Harpagon voulait épouser Mariane, mais on assiste, acte II, à des préparatifs déjà très avancés; le projet se précise, sa réalisation est imminente, et **l'inquiétude du spectateur augmente.** Cependant, notons-le, à la fin de l'acte II, Harpagon ne sait pas encore que son fils est son rival.

• **La principale péripétie de l'acte II a été la rencontre imprévue d'Harpagon et de Cléante,** l'un comme prêteur, l'autre comme emprunteur. La méfiance d'Harpagon envers son fils s'est accrue : il aura « l'œil sur toutes ses actions », et d'autre part les sentiments de Cléante à l'égard de son père se sont aigris, il est tout prêt à la révolte. Le conflit qui a déjà éclaté entre le père et le fils sur une question d'argent ne va-t-il pas prendre une forme encore plus violente et dramatique, quand ils se disputeront la main de Mariane ?

avarice (watered down wine
limited food
et il ne veut pas payer

ACTE III

"They will like à little more than a"
lot.

SCÈNE PREMIÈRE : HARPAGON, CLÉANTE, ÉLISE, VALÈRE,
DAME CLAUDE, MAÎTRE JACQUES, BRINDAVOINE, LA MERLUCHE

HARPAGON / Allons, venez çà[1] tous, que je vous distribue
mes ordres pour tantôt et règle à chacun son emploi. Appro-
chez, dame[2] Claude. Commençons par vous. (*Elle tient un
balai*) Bon, vous voilà les armes[3] à la main. Je vous commets[4]
5 au soin de nettoyer partout; et surtout prenez garde de ne
point frotter les meubles trop fort, de peur de les user.
Outre cela, je vous constitue, pendant le souper, au gouvernement des bouteilles; et s'il s'en écarte quelqu'une et qu'il
se casse quelque chose, je m'en prendrai à vous, et le rabat-
10 trai[5] sur vos gages.
MAÎTRE JACQUES / Châtiment politique[6].
HARPAGON / Allez. Vous, Brindavoine, et vous, la Merluche,
je vous établis dans la charge[7] de rincer les verres, et de donner
à boire[8], mais seulement lorsque l'on aura soif, et non pas
15 selon la coutume de certains impertinents[9] de laquais qui
viennent provoquer les gens, et les faire aviser[10] de boire

---

1 *çà* : ici, près de moi.
2 *dame*, sans que le mot soit précédé de « ma » : appellation
adressée à une domestique de confiance (même nuance dans : maître Jacques).
3 *les armes* : plaisanterie, qui se comprend aisément (elle
tient un balai).
4 *je vous commets*, et, plus bas, dans le même sens, *je vous
constitue* : je vous prépose, je vous établis; mais ce sont des
mots bien solennels pour parler du service d'une domestique; de même pour *gouvernement des bouteilles*. Harpagon
plaisante.
5 *rabattrai sur* : retrancherai de.
6 *politique* : bien calculé, conforme aux intérêts d'Harpagon.
7 *établis dans la charge* : même plaisanterie que plus haut,
car le mot est un peu grand pour la chose.
8 *donner à boire* : les verres n'étaient pas sur la table; quand
un convive voulait boire, il s'adressait à un valet, qui lui
apportait un verre tout rempli.
9 *impertinents* : qui agissent mal à propos.
10 *aviser* : s'aviser.

lorsqu'on n'y songe pas. Attendez qu'on vous en demande plus d'une fois, et vous ressouvenez de porter[11] toujours beaucoup d'eau.

20 MAÎTRE JACQUES / Oui : le vin pur monte à la tête.

LA MERLUCHE / Quitterons-nous nos siquenilles[12], monsieur ?

HARPAGON / Oui, quand vous verrez venir les personnes; et gardez bien de gâter vos habits.

BRINDAVOINE / Vous savez bien, monsieur, qu'un des
25 devants de mon pourpoint est couvert d'une grande tache de l'huile de la lampe.

LA MERLUCHE / Et moi, monsieur, que j'ai mon haut-de-chausses tout troué par-derrière, et qu'on me voit, révérence parler[13]...

30 HARPAGON / Paix. Rangez cela adroitement du côté de la muraille, et présentez toujours le devant au monde. (*Har-pagon met son chapeau au-devant de son pourpoint, pour montrer à Brindavoine comment il doit faire pour cacher la tache d'huile.*) Et vous, tenez toujours votre chapeau ainsi,
35 lorsque vous servirez. Pour vous, ma fille, vous aurez l'œil sur ce que l'on desservira, et prendrez garde qu'il ne s'en fasse aucun dégât[14]. Cela sied bien aux filles. Mais cependant préparez-vous à bien recevoir ma maîtresse[15], qui vous doit venir visiter et vous mener avec elle à la foire. Entendez-
40 vous ce que je vous dis ?

ÉLISE / Oui, mon père.

HARPAGON / Et vous, mon fils le Damoiseau[16], à qui j'ai la bonté de pardonner l'histoire de tantôt, ne vous allez pas aviser non plus de lui faire mauvais visage.

45 CLÉANTE / Moi! mon père, mauvais visage ? Et par quelle raison ?

---

11 *porter* : apporter.
12 *siquenilles* (ou : souquenilles) : vêtement de grosse toile qu'on donnait aux valets pour protéger leurs habits.
13 *révérence parler* : formule de respect employée pour excuser à l'avance un mot qu'on va dire et qui peut choquer. Mais Harpagon lui coupe la parole au bon moment !
14 *dégât* : gaspillage.
15 *maîtresse* : fiancée.
16 *damoiseau* : jeune élégant, mais avec une nuance ironique.

HARPAGON / Mon Dieu! nous savons le train[17] des enfants dont les pères se remarient, et de quel œil ils ont coutume de regarder ce qu'on appelle belle-mère. Mais si vous
50 souhaitez que je perde le souvenir de votre dernière fredaine, je vous recommande surtout de régaler[18] d'un bon visage cette personne-là, et de lui faire enfin tout le meilleur accueil qu'il vous sera possible.

CLÉANTE / A vous dire le vrai, mon père, je ne puis pas vous
55 promettre d'être bien aise qu'elle devienne ma belle-mère; je mentirais, si je vous le disais; mais pour ce qui est de la bien recevoir, et de lui faire bon visage, je vous promets de vous obéir ponctuellement sur ce chapitre.

HARPAGON / Prenez-y garde au moins.

60 CLÉANTE / Vous verrez que vous n'aurez pas sujet de vous en plaindre.

HARPAGON / Vous ferez sagement. Valère, aide-moi à ceci. Ho çà[19], maître Jacques, approchez-vous, je vous ai gardé pour le dernier.

65 MAÎTRE JACQUES / Est-ce à votre cocher, monsieur, ou bien à votre cuisinier, que vous voulez parler? car je suis l'un et l'autre.

HARPAGON / C'est à tous les deux.

MAÎTRE JACQUES / Mais à qui des deux le premier?

70 HARPAGON / Au cuisinier.

MAÎTRE JACQUES / Attendez donc, s'il vous plaît.

(Il ôte sa casaque de cocher, et paraît vêtu en cuisinier.)

HARPAGON / Quelle diantre[20] de cérémonie est-ce là?

MAÎTRE JACQUES / Vous n'avez qu'à parler.

75 HARPAGON / Je me suis engagé, maître Jacques, à donner ce soir à souper[21].

MAÎTRE JACQUES / Grande merveille[22]!

---

17 *le train* : la façon dont se comportent.
18 *régaler* : gratifier, honorer.
19 *ho çà* : venez ici.
20 *diantre* : diable.
21 *à souper* : à dîner; il s'agit du repas du soir (pour le repas de midi, on disait : dîner et non : déjeuner).
22 *merveille* désigne une chose extraordinaire, étonnante, autant que : digne d'admiration.

HARPAGON / Dis-moi un peu, nous feras-tu bonne chère[23]?

MAÎTRE JACQUES / Oui, si vous me donnez bien de l'argent.

80 HARPAGON / Que diable, toujours de l'argent! Il semble qu'ils n'aient autre chose à dire : « De l'argent, de l'argent, de l'argent. » Ah! ils n'ont que ce mot à la bouche : « De l'argent. » Toujours parler d'argent. Voilà leur épée de chevet[24], de l'argent.

ironie

85 VALÈRE / Je n'ai jamais vu de réponse plus impertinente[25] que celle-là. Voilà une belle merveille que de faire bonne chère avec bien de l'argent : c'est une chose[26] la plus aisée du monde, et il n'y a si pauvre esprit qui n'en fît[27] bien autant; mais pour agir en habile homme il faut parler de faire bonne
90 chère avec peu d'argent.

MAÎTRE JACQUES / Bonne chère avec peu d'argent!

VALÈRE / Oui.

MAÎTRE JACQUES / Par ma foi, monsieur l'intendant, vous nous obligerez[28] de nous faire voir ce secret, et de prendre
95 mon office de cuisinier : aussi bien[29] vous mêlez-vous céans d'être le factoton[30].

HARPAGON / Taisez-vous. Qu'est-ce qu'il nous faudra?

MAÎTRE JACQUES / Voilà monsieur votre intendant, qui vous fera bonne chère pour peu d'argent.

100 HARPAGON / Haye[31]! je veux que tu me répondes.

MAÎTRE JACQUES / Combien serez-vous de gens à table?

---

23 *faire bonne chère* : au sens propre, faire bon visage, donc bon accueil, et, par suite, comme ici, offrir un bon repas.
24 *épée de chevet* : proprement, épée que l'on garde la nuit à la tête de son lit, pour s'en servir en cas d'alerte; ici, au sens figuré, objet nécessaire, dont on ne se sépare jamais (comparer avec l'expression encore actuelle : livre de chevet).
25 *impertinente* : dite mal à propos, sotte.
26 *une chose* : la chose.
27 *fît* : subjonctif imparfait à valeur conditionnelle (même un pauvre esprit en ferait autant).
28 *vous nous obligerez* : vous nous rendrez service; la politesse cache l'aigreur de la réplique.
29 *aussi bien* : d'ailleurs.
30 *factoton* : celui qui fait tout dans la maison (langage familier).
31 *haye* : interjection marquant l'impatience.

HARPAGON / Nous serons huit ou dix; mais il ne faut
prendre[32] que huit : quand il y a à manger pour huit, il y
en a bien pour dix.

105 VALÈRE / Cela s'entend[33].

MAÎTRE JACQUES / Hé bien! il faudra quatre grands potages[34]
et cinq assiettes[35]. Potages... Entrées...

HARPAGON / Que diable! voilà pour traiter toute une ville
entière.

110 MAÎTRE JACQUES / Rôt...

HARPAGON, *en lui mettant la main sur la bouche* / Ah!
traître, tu manges tout mon bien.

MAÎTRE JACQUES / Entremets....

HARPAGON / Encore?

115 VALÈRE / Est-ce que vous avez envie de faire crever[36] tout
le monde? et Monsieur a-t-il invité des gens pour les assas-
siner à force de mangeaille? Allez-vous-en lire un peu les
préceptes de la santé[37] et demander aux médecins s'il y a
rien[38] de plus préjudiciable à l'homme que de manger avec
120 excès.

HARPAGON / Il a raison.

VALÈRE / Apprenez, maître Jacques, vous et vos pareils,
que c'est un coupe-gorge[39] qu'une table remplie de trop de
viandes[40], que pour se bien montrer ami de ceux que l'on
125 invite, il faut que la frugalité règne dans les repas qu'on

---

32 *prendre* : compter.

33 *cela s'entend* : cela va sans dire.

34 *potages* : ce n'étaient pas de simples soupes, mais des
plats garnis (viande et légumes), par exemple : canard aux
navets.

35 *assiettes* : contenant des entrées; l'usage était en effet,
dans les repas de cérémonie, de servir à la fois quatre
potages et quatre ou cinq entrées; cela constituait le
premier service.

36 *crever* : éclater, à force de manger; le mot n'était pas aussi
trivial qu'aujourd'hui.

37 *préceptes de la santé* : livres d'hygiène alimentaire.

38 *rien* : quelque chose (sens étymologique).

39 *coupe-gorge* : endroit où l'on risque de se faire couper la
gorge; par suite, ici, de mourir d'indigestion.

40 *viandes* se disait de toutes sortes d'aliments; ce que nous
appelons aujourd'hui « viande » se disait alors « chair ».

donne; et que, suivant le dire d'un ancien, *il faut manger pour vivre, et non pas vivre pour manger*[41].

HARPAGON / Ah! que cela est bien dit! Approche, que je t'embrasse pour ce mot. Voilà la plus belle sentence que j'aie

130 entendue de ma vie. *Il faut vivre pour manger, et non pas manger pour vi...* Non, ce n'est pas cela. Comment est-ce que tu dis?

VALÈRE / Qu'*il faut manger pour vivre, et non pas vivre pour manger.*

135 HARPAGON / Oui. Entends-tu? Qui est le grand homme qui a dit cela?

VALÈRE / Je ne me souviens pas maintenant de son nom.

HARPAGON / Souviens-toi de m'écrire ces mots : je les veux faire graver en lettres d'or sur la cheminée de ma salle.

140 VALÈRE / Je n'y manquerai pas. Et pour votre souper, vous n'avez qu'à me laisser faire : je réglerai tout cela comme il faut.

HARPAGON / Fais donc.

MAÎTRE JACQUES / Tant mieux : j'en aurai moins de peine.

145 HARPAGON / Il faudra de ces choses dont on ne mange guère, et qui rassasient d'abord[42] : quelque bon haricot[43] bien gras, avec quelque pâté en pot bien garni de marrons.

VALÈRE / Reposez-vous sur moi.

HARPAGON / Maintenant, maître Jacques, il faut nettoyer

150 mon carrosse.

MAÎTRE JACQUES / Attendez. Ceci s'adresse au cocher. (*Il remet sa casaque.*) Vous dites...

HARPAGON / Qu'il faut nettoyer mon carrosse, et tenir mes chevaux tout prêts pour conduire à la foire...

155 MAÎTRE JACQUES / Vos chevaux, monsieur? Ma foi, ils ne sont point du tout en état de marcher. Je ne vous dirai point qu'ils sont sur la litière[44], les pauvres bêtes n'en ont point,

---

41 Cette phrase proverbiale est la traduction d'une phrase de la *Rhétorique à Herennius*, qui est attribuée à Cicéron. D'autre part Plutarque cite le mot comme étant de Socrate.

42 *d'abord :* tout de suite.

43 *haricot de mouton :* ragoût fait avec du mouton coupé en morceaux et des légumes.

44 *sur la litière :* couchés, de fatigue, sur leur litière; quand les chevaux sont en bonne santé, ils se reposent debout.

et ce serait fort mal parler; mais vous leur faites observer
des jeûnes si austères, que ce ne sont plus rien que des idées
160 ou des fantômes, des façons[45] de chevaux.

HARPAGON / Les voilà bien malades : ils ne font rien.

MAÎTRE JACQUES / Et pour ne faire rien[46], monsieur, est-ce
qu'il ne faut rien manger? Il leur vaudrait bien mieux, les
pauvres animaux, de travailler beaucoup, de manger de
165 même. Cela me fend le cœur, de les voir ainsi exténués; car
enfin j'ai une tendresse pour mes chevaux, qu[47]'il me semble
que c'est moi-même quand je les vois pâtir[48]; je m'ôte tous
les jours pour eux les choses de la bouche; et c'est être,
monsieur, d'un naturel trop dur, que de n'avoir nulle pitié
170 de son prochain[49].

HARPAGON / Le travail ne sera pas grand, d'aller jusqu'à la
foire.

MAÎTRE JACQUES / Non, monsieur, je n'ai pas le courage de
les mener, et je ferais conscience[50] de leur donner des coups
175 de fouet, en l'état où ils sont. Comment voudriez-vous qu'ils
traînassent un carrosse, qu'ils[51] ne peuvent pas se traîner
eux-mêmes?

VALÈRE / Monsieur, j'obligerai[52] le voisin le Picard[53] à se
charger de les conduire : aussi bien nous fera-t-il[54] ici besoin
180 pour apprêter le souper.

---

45 *des façons* : des apparences.
46 *pour ne faire rien* : parce qu'ils ne font rien (est-ce une
    raison pour ne leur rien donner à manger?).
47 *que* : au point que.
48 *pâtir* : vieux mot, pour « souffrir ».
49 *son prochain* : terme de prédicateur en chaire, qui prend ici
    une valeur comique, puisqu'il est question non d'hommes,
    mais de chevaux.
50 *je ferais conscience* : je me ferais un cas de conscience,
    j'aurais scrupule à.
51 *qu'ils* : alors qu'ils.
52 *j'obligerai* : j'engagerai.
53 *le Picard* : on appelait souvent les domestiques du nom
    de la province dont ils étaient originaires (par exemple,
    dans *Les Plaideurs*, La Brie, valet de Chicaneau).
54 *il* : maître Jacques. Ce n'était pas impoli, alors, d'employer
    un pronom de la troisième personne pour désigner une per-
    sonne présente.

[annotation manuscrite : Maître Jacques dit qu'il ne veut pas s'occuper des chevaux parce qu'ils meurent de faim. Il n'est pas d'accord avec ça.]

MAÎTRE JACQUES / Soit ; j'aime mieux encore qu'ils meurent sous la main d'un autre que sous la mienne.

VALÈRE / Maître Jacques fait bien le raisonnable[55].

MAÎTRE JACQUES / Monsieur l'intendant fait bien le nécessaire[56].

HARPAGON / Paix !

MAÎTRE JACQUES / Monsieur, je ne saurais souffrir les flatteurs ; et je vois que ce qu'il en fait, que ses contrôles perpétuels sur le pain et le vin, le bois, le sel, et la chandelle, ne sont rien que pour vous gratter[57] et vous faire sa cour. J'enrage de cela, et je suis fâché tous les jours d'entendre ce qu'on dit de vous ; car enfin je me sens pour vous de la tendresse, en dépit que j'en aie[58] ; et après mes chevaux, vous êtes la personne que j'aime le plus.

HARPAGON / Pourrais-je savoir de vous, maître Jacques, ce que l'on dit de moi ?

MAÎTRE JACQUES / Oui, monsieur, si j'étais assuré que cela ne vous fâchât point.

HARPAGON / Non, en aucune façon.

MAÎTRE JACQUES / Pardonnez-moi[59] : je sais fort bien que je vous mettrais en colère.

HARPAGON / Point du tout : au contraire, c'est me faire plaisir, et je suis bien aise d'apprendre comme[60] on parle de moi.

MAÎTRE JACQUES / Monsieur, puisque vous le voulez, je vous dirai franchement qu'on se moque partout de vous ; qu'on nous jette de tous côtés cent brocards[61] à votre sujet ; et que l'on n'est point plus ravi que de vous tenir au cul et aux

---

55 *le raisonnable* : le raisonneur (qui répond à une remontrance).

56 *le nécessaire* : l'homme indispensable, qui se donne de l'importance.

57 *gratter* : flatter, expression qui, employée par un cocher, prend toute sa saveur.

58 *en dépit que j'en aie* : malgré toutes les raisons que je peux avoir de ne pas vous aimer (franchise et naïveté).

59 *pardonnez-moi* : manière polie de contredire.

60 *comme* : comment.

61 *brocards* : railleries blessantes.

chausses[62], et de faire sans cesse des contes de votre lésine[63].
210 L'un dit que vous faites imprimer des almanachs particu-
liers, où vous faites doubler les quatre-temps et les vigiles[64],
afin de profiter des jeûnes où vous obligez votre monde.
L'autre, que vous avez toujours une querelle toute prête
à faire à vos valets dans le temps des étrennes, ou de leur
215 sortie d'avec vous, pour vous trouver une raison de ne leur
donner rien. Celui-là conte qu'une fois vous fîtes assigner[65]
le chat d'un de vos voisins, pour vous avoir mangé un reste
d'un gigot de mouton. Celui-ci, que l'on vous surprit une
nuit, en venant[66] dérober vous-même l'avoine de vos che-
220 vaux; et que votre cocher, qui était celui d'avant moi, vous
donna dans l'obscurité je ne sais combien de coups de bâton
dont vous ne voulûtes rien dire. Enfin voulez-vous que je
vous dise? On ne saurait aller nulle part où l'on ne vous
entende accommoder de toutes pièces[67]; vous êtes la fable
225 et la risée de tout le monde; et jamais on ne parle de vous
que sous les noms d'avare, de ladre, de vilain et de fesse-
mathieu[68].

HARPAGON, *en le battant* / Vous êtes un sot, un maraud,
un coquin et un impudent.

230 MAÎTRE JACQUES / Hé bien! ne l'avais-je pas deviné? Vous
ne m'avez pas voulu croire : je vous l'avais bien dit que je
vous fâcherais de vous dire[69] la vérité.

HARPAGON / Apprenez à parler.

---

62 *tenir au cul et aux chausses* : expression populaire; comme
    un chien qui mord la culotte, s'acharner après vous sans
    vouloir vous lâcher.
63 *lésine* : avarice sordide.
64 *les quatre-temps et les vigiles* : jours où l'Église ordonnait
    de jeûner, à chaque changement de saison (quatre-temps)
    et la veille de certaines grandes fêtes (vigiles).
65 *assigner* : citer devant le juge.
66 *en venant* : alors que vous veniez (ce gérondif ne serait pas
    correct aujourd'hui, n'ayant pas le même sujet que le verbe
    principal).
67 *accommoder de toutes pièces* : expression familière signifiant
    « maltraiter de toutes les façons possibles ».
68 *fesse-mathieu* : usurier (mot déjà rencontré acte II, scène 1).
69 *de vous dire* : en vous disant.

QUESTIONS en vue de l'explication de la scène 1 :

1 *Était-ce une bonne idée de présenter Harpagon en maître de maison, en train de donner ses ordres pour le « souper » ?*

2 *Étudiez la composition de la scène, distinguez ses différentes parties. Présente-t-elle l'unité des grandes scènes classiques, auxquelles Molière nous a habitués ?*

3 *Dans le premier dialogue, relevez de nouveaux traits d'avarice; ne sont-ils pas, par deux fois, soulignés par une réflexion, à mi-voix, de maître Jacques ?*

4 *Quel est l'intérêt du changement de costume, à vue, opéré par maître Jacques ?*

5 *Étude du caractère de maître Jacques et de ses relations avec Valère.*

6 *Dans l'énoncé du menu proposé par maître Jacques, l'édition de 1682 (donc postérieure à la mort de Molière) ajoutait le texte suivant, après les mots « il faudra quatre grands potages et cinq assiettes » : « potage bisque (1), potage de perdrix aux choux verts, potage de santé (2), potage de canard aux navets. Entrées : fricassée de poulets, tourte de pigeonneaux, ris de veau, boudin blanc et morilles ». Et après les mots « que diable! voilà pour traiter toute une ville entière! » : « rôt dans un grandissime bassin, en pyramide : une grande longe de veau de rivière (3), trois faisans, trois poulardes grasses, douze pigeons de volière, douze poulets de grain, six lapereaux de garenne, douze perdreaux, deux douzaines de cailles, trois douzaines d'ortolans... »*
Si vous étiez metteur en scène, feriez-vous jouer ce texte plus complet ou le texte plus réduit de l'édition originale ?

7 *Montrez la valeur comique et la composition de la tirade où maître Jacques dit ses vérités à Harpagon; les traits comiques sont-ils tous également vraisemblables ?*

8 *Quel est l'état d'esprit de maître Jacques à la fin de la scène 1 ?*

1) *bisque :* coulis d'écrevisse.
2) *de santé :* aux légumes.
3) *de rivière :* qui a brouté l'herbe des bords de la Seine.

SCÈNE II : MAÎTRE JACQUES, VALÈRE

VALÈRE / A ce que je puis voir, maître Jacques, on paye mal
votre franchise.

MAÎTRE JACQUES / Morbleu, monsieur le nouveau venu, qui
faites l'homme d'importance, ce n'est pas votre affaire. Riez
5 de vos coups de bâton quand on vous en donnera, et ne
venez point rire des miens.

VALÈRE / Ah! monsieur maître Jacques[1], ne vous fâchez pas,
je vous prie.

MAÎTRE JACQUES, *à part* / Il file doux. Je veux faire le brave,
10 et s'il est assez sot pour me craindre, le frotter[2] quelque peu.
(*Haut*) Savez-vous bien, monsieur le rieur[3], que je ne ris
pas, moi? et que si vous m'échauffez la tête, je vous ferai
rire d'une autre sorte?

Maître Jacques pousse Valère jusques au bout du théâtre, en
le menaçant.

15 VALÈRE / Eh! doucement.

MAÎTRE JACQUES / Comment, doucement? il ne me plaît pas,
moi.

VALÈRE / De grâce.

MAÎTRE JACQUES / Vous êtes un impertinent[4].

20 VALÈRE / Monsieur maître Jacques...

MAÎTRE JACQUES / Il n'y a point de monsieur maître Jacques
pour un double[5]. Si je prends un bâton, je vous rosserai
d'importance.

VALÈRE / Comment, un bâton?

25   *Valère le fait reculer autant qu'il l'a fait.*

---

1 *monsieur maître Jacques.* Il est évident que monsieur (apel-
lation de grand respect au XVIIe siècle) ne peut être accolé
à maître : Valère se moque, en feignant d'avoir beaucoup
de considération pour son interlocuteur.

2 *frotter :* rosser.

3 *monsieur le rieur* répond à la moquerie de Valère : maître
Jacques veut ainsi le défier.

4 *impertinent :* qui agit mal à propos, sot (et non pas « insolent »).

5 *pour un double :* un double denier. L'expression équivaut,
dans la langue familière d'aujourd'hui, à « pas pour un
sou », c'est-à-dire « pas du tout ».

MAÎTRE JACQUES / Eh! je ne parle pas de cela.

VALÈRE / Savez-vous bien, monsieur le fat⁶, que je suis homme à vous rosser vous-même?

MAÎTRE JACQUES / Je n'en doute pas.

30 VALÈRE / Que vous n'êtes, pour tout potage⁷, qu'un faquin⁸ de cuisinier?

MAÎTRE JACQUES / Je le sais bien.

VALÈRE / Et que vous ne me connaissez pas encore?

MAÎTRE JACQUES / Pardonnez-moi⁹.

35 VALÈRE / Vous me rosserez, dites-vous?

MAÎTRE JACQUES / Je le disais en raillant.

VALÈRE / Et moi, je ne prends point de goût à votre raillerie. *(Il lui donne des coups de bâton)* Apprenez que vous êtes un mauvais railleur.

40 MAÎTRE JACQUES / Peste soit¹⁰ la sincérité! c'est un mauvais métier. Désormais j'y renonce, et je ne veux plus dire vrai. Passe encore pour mon maître : il a quelque droit de me battre¹¹; mais pour ce monsieur l'intendant, je m'en vengerai si je puis.

---

6 *fat* : sot prétentieux.
7 *pour tout potage* : en tout et pour tout; mais le mot est drôle, adressé à un cuisinier.
8 *faquin* : au sens propre, portefaix; puis, comme ici, un homme de rien.
9 *pardonnez-moi* contredit poliment; donc le sens est : si, je vous connais bien.
10 *peste soit* : maudite soit...
11 C'était l'usage, c'était presque un droit, de battre ses domestiques.

QUESTIONS en vue de l'explication de la scène 2 :

1 *Étudiez le mouvement de la scène. Bien préciser la place des personnages sur le théâtre.*

2 *Pourquoi Valère est-il conciliant au début? («Il file doux», dit maître Jacques). Pourquoi prend-il ensuite l'offensive?*

3 *Quelle est l'utilité de la scène pour l'action de la pièce?*

SCÈNE III : FROSINE, MARIANE, MAÎTRE JACQUES

FROSINE / Savez-vous, maître Jacques, si votre maître est au logis?

MAÎTRE JACQUES / Oui, vraiment, il y est, je ne le sais que trop[1].

5 FROSINE / Dites-lui, je vous prie, que nous sommes ici.

SCÈNE IV : MARIANE, FROSINE

MARIANE / Ah! que je suis, Frosine, dans un étrange état! et s'il faut dire ce que je sens, que j'appréhende[1] cette vue!

FROSINE / Mais pourquoi, et quelle est votre inquiétude?

MARIANE / Hélas! me le demandez-vous? et ne vous figurez-
5 vous point les alarmes d'une personne toute prête[2] à voir le supplice où l'on veut l'attacher[3]?

FROSINE / Je vois bien que, pour mourir agréablement, Harpagon n'est pas le supplice que vous voudriez embrasser[4]; et je connais à votre mine que le jeune blondin[5] dont vous
10 m'avez parlé vous revient un peu dans l'esprit.

MARIANE / Oui, c'est une chose, Frosine, dont je ne veux pas me défendre; et les visites respectueuses qu'il a rendues chez nous ont fait, je vous l'avoue, quelque effet dans mon âme.

15 FROSINE / Mais avez-vous su quel[6] il est?

---

1 En disant ces mots, maître Jacques se frotte le dos, meurtri par les coups de bâton.

1 *j'appréhende* : je crains, je redoute.

2 *prête à* : près de (les deux expressions étaient confondues au XVIIe siècle).

3 *l'attacher* : image (comme un supplicié est attaché à la croix ou au gibet).

4 *embrasser* : jeu de mots comique : subir (un supplice) et prendre dans ses bras (un mari).

5 *blondin* : Mariane a parlé à Frosine d'un jeune blondin (un jeune homme à perruque blonde) qui lui fait la cour, mais elles ne savent encore ni l'une ni l'autre que c'est le fils d'Harpagon.

6 *quel* : quelle sorte d'homme, de quelle condition.

MARIANE / Non, je ne sais point quel il est ; mais je sais qu'il
est fait d'un air à[7] se faire aimer ; que si l'on pouvait mettre
les choses à mon choix, je le prendrais plutôt qu'un autre ;
et qu'il ne contribue pas peu à me faire trouver un tourment
20 effroyable dans l'époux qu'on veut me donner.

FROSINE / Mon Dieu ! tous ces blondins sont agréables, et
débitent fort bien leur fait[8] ; mais la plupart sont gueux
comme des rats[9], et il vaut mieux pour vous de prendre un
vieux mari qui vous donne beaucoup de bien[10]. Je vous avoue
25 que les sens ne trouvent pas si bien leur compte du côté que
je dis, et qu'il y a quelques petits dégoûts à essuyer avec
un tel époux ; mais cela n'est pas pour[11] durer, et sa mort,
croyez-moi, vous mettra bientôt en état d'en prendre un
plus aimable, qui réparera toutes choses.

30 MARIANE / Mon Dieu ! Frosine, c'est une étrange affaire,
lorsque, pour être heureuse, il faut souhaiter ou attendre
le trépas de quelqu'un, et la mort ne suit pas tous les projets
que nous faisons.

FROSINE / Vous moquez-vous ? Vous ne l'épousez qu'aux
35 conditions de vous laisser veuve bientôt ; et ce doit être là
un des articles du contrat. Il serait bien impertinent[12] de
ne pas mourir dans trois mois. Le voici en propre personne.

MARIANE / Ah ! Frosine, quelle figure !

SCÈNE V : HARPAGON, FROSINE, MARIANE

HARPAGON / Ne vous offensez pas, ma belle, si je viens à
vous avec des lunettes[1]. Je sais que vos appas[2] frappent assez
les yeux, sont assez visibles d'eux-mêmes, et qu'il n'est pas
besoin de lunettes pour les apercevoir ; mais enfin c'est avec

---

7 *d'un air à :* d'une tournure propre à (style précieux).
8 *leur fait :* leur affaire (leurs compliments galants).
9 *comme des rats :* l'expression complète était : « gueux comme
   un rat d'église » (langage populaire).
10 *de bien :* qui vous apporte une grosse fortune.
11 *pour :* destiné à.
12 *il serait bien impertinent :* il agirait bien mal à propos.
1 *lunettes :* Harpagon se rappelle ce que lui a dit Frosine
   (acte II, scène 5) : Mariane n'aime que les hommes qui
   portent des lunettes.
2 *vos appas :* votre beauté (style précieux).

5 des lunettes qu'on observe les astres, et je maintiens et garantis
que vous êtes un astre, mais un astre le plus bel astre qui
soit dans le pays des astres. Frosine, elle ne répond mot, et
ne témoigne, ce me semble, aucune joie de me voir.

FROSINE / C'est qu'elle est encore toute surprise; et puis les
10 filles ont toujours honte à témoigner d'abord[3] ce qu'elles
ont dans l'âme.

HARPAGON / Tu as raison. Voilà, belle mignonne, ma fille
qui vient vous saluer.

SCÈNE VI : ÉLISE, HARPAGON, MARIANE, FROSINE

MARIANE / Je m'acquitte bien tard, madame[1], d'une telle
visite.

ÉLISE / Vous avez fait, madame, ce que je devais[2] faire, et
c'était à moi de vous prévenir[3].

5 HARPAGON / Vous voyez qu'elle[4] est grande; mais mauvaise
herbe croît toujours.

MARIANE, *bas à Frosine* / Oh! l'homme déplaisant!

HARPAGON / Que dit la belle?

---

3 *d'abord* : dès l'abord, tout de suite.
1 *madame* : terme de grand respect, mais qui pouvait convenir
aussi bien à une jeune fille qu'à une femme mariée.
2 *je devais* : j'aurais dû (latinisme).
3 *prévenir* : devancer.
4 *elle* désigne Élise. Ce n'était pas alors impoli de s'exprimer
ainsi en parlant d'une personne présente.

QUESTIONS en vue de l'explication des scènes 4, 5, 6 :

1 *Étudiez, dans la scène 4, le caractère et l'état d'esprit de Mariane
et commentez la réplique : « Mon Dieu! Frosine, c'est une étrange
affaire... les projets que nous faisons. »*

2 *En quoi Harpagon est-il ridicule dans le compliment qu'il fait
à Mariane, à la scène 5 ?*

3 *Quels sont les sentiments réciproques de Mariane et d'Élise,
au début de la scène 6 ?*

4 *Pourquoi Harpagon paraît-il si déplaisant à Mariane ?*

FROSINE / Qu'elle vous trouve admirable.

10 HARPAGON / C'est trop d'honneur que vous me faites, adorable mignonne.

MARIANE, *à part* / Quel animal[5]!

HARPAGON / Je vous suis trop obligé[6] de ces sentiments.

MARIANE, *à part* / Je n'y puis plus tenir.

15 HARPAGON / Voici mon fils aussi qui vous vient faire la révérence.

MARIANE, *à part, à Frosine* / Ah! Frosine, quelle rencontre! C'est justement celui dont je t'ai parlé.

FROSINE, *à Mariane* / L'aventure est merveilleuse[7].

20 HARPAGON / Je vois que vous vous étonnez de me voir de si grands enfants; mais je serai bientôt défait et de l'un et de l'autre.

SCÈNE VII : CLÉANTE, HARPAGON, ÉLISE, MARIANE, FROSINE

CLÉANTE / Madame, à vous dire le vrai, c'est ici une aventure où[1] sans doute je ne m'attendais pas; et mon père ne m'a pas peu surpris lorsqu'il m'a dit tantôt le dessein qu'il avait formé.

5 MARIANE / Je puis dire la même chose. C'est une rencontre imprévue qui m'a surprise autant que vous; et je n'étais point préparée à une pareille aventure.

CLÉANTE / Il est vrai que mon père, madame, ne peut pas faire un plus beau choix, et que ce m'est une sensible joie que

10 l'honneur de vous voir; mais avec tout cela, je ne vous assurerai point que je me réjouis du dessein où[2] vous pourriez être de devenir ma belle-mère. Le compliment, je vous l'avoue, est trop difficile pour moi; et c'est un titre, s'il

---

5 *quel animal!* L'expression n'était pas aussi triviale qu'elle le serait aujourd'hui.

6 *trop obligé :* très reconnaissant.

7 *merveilleuse :* étonnante (et non pas, ici, digne d'admiration).

1 *où :* à laquelle.

2 *où :* dans lequel (je me réjouis du dessein que vous pourriez avoir).

peut pas pour belle-mère mais pour femme

Mariane et Cléante étourdi sur...

vous plaît, que je ne vous souhaite point. Ce discours
15 paraîtra brutal aux yeux de quelques-uns ; mais je suis
assuré que vous serez personne à le prendre comme il
faudra, que c'est un mariage, madame, où[3] vous vous
imaginez bien que je dois avoir de la répugnance ; que vous
n'ignorez pas, sachant ce que je suis, comme il choque mes
20 intérêts ; et que vous voulez bien enfin que je vous dise,
avec la permission de mon père, que si les choses dépendaient
de moi, cet hymen ne se ferait point.

HARPAGON / Voilà un compliment bien impertinent[4] : quelle
belle confession à lui faire !

25 MARIANE / Et moi, pour vous répondre, j'ai à vous dire
que les choses sont fort égales ; et que si vous auriez[5] de la
répugnance à me voir votre belle-mère, je n'en aurais pas
moins sans doute[6] à vous voir mon beau-fils. Ne croyez pas,
je vous prie, que ce soit moi qui cherche à vous donner cette
30 inquiétude. Je serais fort fâchée de vous causer du déplaisir[7] ;
et si je ne m'y vois forcée par une puissance absolue, je vous
donne ma parole que je ne consentirai point au mariage qui
vous chagrine.

HARPAGON / Elle a raison : à sot compliment, il faut une
35 réponse de même. Je vous demande pardon, ma belle, de
l'impertinence[8] de mon fils. C'est un jeune sot, qui ne sait pas
encore la conséquence des paroles qu'il dit.

MARIANE / Je vous promets[9] que ce qu'il m'a dit ne m'a
point du tout offensée ; au contraire, il m'a fait plaisir de
40 m'expliquer ainsi ses véritables sentiments. J'aime de lui
un aveu de la sorte ; et s'il avait parlé d'autre façon, je l'en
estimerais bien moins.

---

3 *où* : pour lequel.
4 *impertinent* : qui ne convient pas, mal à propos.
5 *si vous auriez* : si vous aviez (le cas échéant). Ce conditionnel, après si, marque une supposition réalisable, tandis
que l'imparfait de l'indicatif (si vous aviez) aurait le sens
d'un irréel.
6 *sans doute* : sans aucun doute, assurément.
7 *déplaisir* : tourment (mot à sens très fort).
8 *impertinence* : sottise (et non insolence).
9 *promets* : affirme.

HARPAGON / C'est beaucoup de bonté à vous de vouloir ainsi excuser ses fautes. Le temps le rendra plus sage, et
45 vous verrez qu'il changera de sentiments.

CLÉANTE / Non, mon père, je ne suis point capable d'en changer, et je prie instamment madame de le croire.

HARPAGON / Mais voyez quelle extravagance! il continue encore plus fort.

50 CLÉANTE / Voulez-vous que je trahisse mon cœur?

HARPAGON / Encore? Avez-vous envie[10] de changer de discours?

CLÉANTE / Hé bien! puisque vous voulez que je parle d'autre façon, souffrez, madame, que je me mette ici à la place de
55 mon père, et que je vous avoue que je n'ai rien vu dans le monde de si charmant que vous; que je ne conçois rien d'égal au bonheur de vous plaire, et que le titre de votre époux est une gloire, une félicité que je préférerais aux destinées des plus grands princes de la terre. Oui, madame, le
60 bonheur de vous posséder est à mes regards la plus belle de toutes les fortunes; c'est où[11] j'attache toute mon ambition; il n'y a rien que je ne sois capable de faire pour une conquête si précieuse, et les obstacles les plus puissants...

HARPAGON / Doucement, mon fils, s'il vous plaît.

65 CLÉANTE / C'est un compliment que je fais pour vous à madame.

HARPAGON / Mon Dieu! j'ai une langue pour m'expliquer moi-même, et je n'ai pas besoin d'un procureur[12] comme vous. Allons, donnez des sièges.

70 FROSINE / Non, il vaut mieux que de ce pas nous allions à la foire, afin d'en revenir plus tôt, et d'avoir tout le temps ensuite de vous entretenir.

HARPAGON / Qu'on mette donc les chevaux au carrosse. Je vous prie de m'excuser, ma belle, si je n'ai pas songé à vous
75 donner un peu de collation[13] avant que de partir.

---

10 *avez-vous envie de :* je vous ordonne de.

11 *c'est où :* c'est une chose à laquelle.

12 *procureur :* celui qui agit par procuration, à la place d'un autre.

13 *un peu de collation :* un petit goûter.

CLÉANTE / J'y ai pourvu, mon père, et j'ai fait apporter ici quelques bassins d'oranges de la Chine, de citrons doux et de confitures, que j'ai envoyé querir[14] de votre part.

HARPAGON, *bas, à Valère* / Valère!

80 VALÈRE, *à Harpagon* / Il a perdu le sens.

CLÉANTE / Est-ce que vous trouvez, mon père, que ce ne soit pas assez? Madame aura la bonté d'excuser cela, s'il lui plaît.

MARIANE / C'est une chose qui n'était pas nécessaire.

85 CLÉANTE / Avez-vous jamais vu, madame, un diamant plus vif que celui que vous voyez que mon père a au doigt[15]?

MARIANE / Il est vrai qu'il brille beaucoup.

CLÉANTE, *il l'ôte du doigt de son père, et le donne à Mariane* / Il faut que vous le voyiez de près.

90 MARIANE / Il est fort beau sans doute, et jette quantité de feux.

CLÉANTE, *il se met au-devant de Mariane, qui le veut rendre* / Nenni[16], madame : il est en de trop belles mains. C'est un présent que mon père vous a fait.

95 HARPAGON / Moi?

CLÉANTE / N'est-il pas vrai, mon père, que vous voulez que madame le garde pour l'amour de vous?

HARPAGON, *à part, à son fils* / Comment?

CLÉANTE / Belle demande! Il me fait signe de vous le faire
100 accepter.

MARIANE / Je ne veux point...

CLÉANTE / Vous moquez-vous? Il n'a garde de le reprendre.

HARPAGON, *à part* / J'enrage!

MARIANE / Ce serait...

105 CLÉANTE, *en empêchant toujours Mariane de rendre la bague* / Non, vous dis-je, c'est l'offenser.

MARIANE / De grâce.

---

14 *querir :* chercher.
15 Il est peu vraisemblable qu'Harpagon porte sur lui un bijou de grand prix. D'ailleurs une bague d'homme ne conviendrait pas à Mariane. On doit supposer qu'il s'agit d'une bague de femme, qu'Harpagon a fait saisir chez un débiteur insolvable; en attendant de la mettre en lieu sûr ou de la vendre, pour ne pas la perdre, il l'a enfilée à son petit doigt.
16 *nenni* (prononcer : nani) est un mot familier, pour dire non.

CLÉANTE / Point du tout.

HARPAGON, *à part* / Peste soit...

110 CLÉANTE / Le voilà qui se scandalise[17] de votre refus.

HARPAGON, *bas, à son fils* / Ah, traître!

CLÉANTE / Vous voyez qu'il se désespère.

HARPAGON, *bas, à son fils, en le menaçant* / Bourreau que tu es!

115 CLÉANTE / Mon père, ce n'est pas ma faute. Je fais ce que je puis pour l'obliger à la[18] garder; mais elle est obstinée.

HARPAGON, *bas, à son fils, avec emportement* / Pendard!

CLÉANTE / Vous êtes cause, madame, que mon père me querelle.

120 HARPAGON, *bas, à son fils, avec les mêmes grimaces* / Le coquin!

CLÉANTE / Vous le ferez tomber malade. De grâce, madame, ne résistez point davantage.

FROSINE / Mon Dieu! que de façons! Gardez la bague, 125 puisque monsieur le veut.

MARIANE / Pour ne vous point mettre en colère, je la garde maintenant; et je prendrai un autre temps pour vous la rendre.

---

17 *se scandalise* : s'offense.
18 *la* : la bague (bien qu'on n'ait parlé que du diamant).

QUESTIONS en vue de l'explication de la scène 7 :

1 *Relevez et expliquez toutes les répliques de Cléante et de Mariane qui ont un double sens : un sens pour Harpagon, un sens pour Mariane (ou Cléante). En quoi ce quiproquo est-il amusant pour le spectateur?*

2 *Quel est le ton de Cléante quand il fait un compliment à Mariane, à partir de : « Hé bien! puisque vous voulez que je parle d'autre façon... »? Quelle est la réaction d'Harpagon?*

3 *Appréciez l'attitude de Cléante envers son père, d'abord quand il parle de la collation qu'il a fait servir, ensuite quand il offre à Mariane le diamant. Expliquez le jeu de scène de la fin.*

4 *Pourquoi Mariane refuse-t-elle d'abord la bague, pour ne l'accepter ensuite que provisoirement?*

SCÈNE VIII : HARPAGON, MARIANE, FROSINE, CLÉANTE,
BRINDAVOINE, ÉLISE

BRINDAVOINE / Monsieur, il y a là un homme qui veut vous
parler.

HARPAGON / Dis-lui que je suis empêché, et qu'il revienne
une autre fois.

5 BRINDAVOINE / Il dit qu'il vous apporte de l'argent.

HARPAGON / Je vous demande pardon. Je reviens tout à
l'heure[1].

SCÈNE IX : HARPAGON, MARIANE, CLÉANTE, ÉLISE, FROSINE,
LA MERLUCHE

LA MERLUCHE, *il vient en courant, et fait tomber Harpagon* /
Monsieur...

HARPAGON / Ah! je suis mort[1].

CLÉANTE / Qu'est-ce, mon père? vous êtes-vous fait mal?

5 HARPAGON / Le traître assurément a reçu de l'argent de mes
débiteurs, pour me faire rompre le cou.

VALÈRE / Cela ne sera rien.

LA MERLUCHE / Monsieur, je vous demande pardon, je
croyais bien faire d'accourir vite.

10 HARPAGON / Que viens-tu faire ici, bourreau?

LA MERLUCHE / Vous dire que vos deux chevaux sont
déferrés.

HARPAGON / Qu'on les mène promptement chez le maréchal.

CLÉANTE / En attendant qu'ils soient ferrés, je vais faire
15 pour vous, mon père, les honneurs de votre logis, et conduire
madame dans le jardin, où je ferai porter la collation.

HARPAGON / Valère, aie un peu l'œil à tout cela; et prends
soin, je te prie, de m'en sauver le plus que tu pourras, pour
le renvoyer au marchand.

20 VALÈRE / C'est assez.

HARPAGON / O fils impertinent[2], as-tu envie de me ruiner?

---

1 *tout à l'heure* : tout de suite.

1 *je suis mort* : la chute d'Harpagon, personnage antipathique,
fait rire le public. C'est du comique de farce ou de guignol,
qui contraste avec le comique si fin de la scène 7 et apporte
une sorte de détente.

2 *impertinent* : qui agit mal à propos contre le bon sens.

• **L'acte III a eu surtout pour objet de compléter la peinture de l'avarice.** en montrant le conflit entre les deux passions d'Harpagon : son amour pour l'argent et son amour pour Mariane.

Ce conflit est mis en lumière quand on voit Harpagon maître de maison, occupé à donner ses ordres pour le souper, puis amoureux récitant un compliment à Mariane, à qui il s'est bien gardé d'offrir un cadeau de fiançailles.

• **Du point de vue de l'intrigue amoureuse, l'acte III apporte un fait nouveau :** Mariane sait maintenant que le jeune homme qui lui fait la cour est le fils du vieillard qu'elle doit épouser. Quant à Harpagon, il ne sait pas encore que son fils est son rival, mais l'empressement du jeune homme auprès de Mariane a commencé à lui donner des soupçons, et le spectateur s'attend à quelque péripétie nouvelle, lorsqu'il aura appris la vérité.

ACTE IV

CLÉANTE / Rentrons ici[1], nous serons beaucoup mieux. Il n'y a plus autour de nous personne de suspect, et nous pouvons parler librement.

ÉLISE / Oui, madame, mon frère m'a fait confidence de la
5 passion qu'il a pour vous. Je sais les chagrins et les déplaisirs[2] que sont capables de causer de pareilles traverses[3]; et c'est, je vous assure, avec une tendresse extrême, que je m'intéresse à votre aventure.

MARIANE / C'est une douce consolation que de voir dans ses
10 intérêts une personne comme vous; et je vous conjure, madame, de me garder toujours cette généreuse[4] amitié, si capable de m'adoucir les cruautés de la fortune[5].

FROSINE / Vous êtes, par ma foi! de malheureuses gens l'un et l'autre, de ne m'avoir point, avant tout ceci, avertie de
15 votre affaire. Je vous aurais sans doute détourné[6] cette inquiétude, et n'aurais point amené les choses où l'on voit qu'elles sont.

CLÉANTE / Que veux-tu? C'est ma mauvaise destinée qui l'a voulu ainsi. Mais, belle Mariane, quelles résolutions
20 sont les vôtres?

MARIANE / Hélas! suis-je en pouvoir de faire[7] des résolutions? Et dans la dépendance où je me vois, puis-je former que[8] des souhaits?

CLÉANTE / Point d'autre appui pour moi dans votre cœur
25 que de simples souhaits? point de pitié officieuse[9]? point de secourable bonté? point d'affection agissante?

---

1 *rentrons ici* : ils reviennent du jardin, où a eu lieu le goûter.
2 *déplaisirs* : tourments (mot à sens très fort).
3 *traverses* : obstacles, empêchements.
4 *généreuse* : qui vient d'un cœur noble.
5 *de la fortune* : du sort (sens étymologique).
6 *je vous aurais détourné* : j'aurais éloigné, écarté de vous.
7 *faire* : prendre (comme nous disons : faire des projets).
8 *que* : autre chose que.
9 *officieuse* : qui se manifeste par la bonté (c'est-à-dire : conçue pour me faire plaisir).

MARIANE / Que saurais-je vous dire? Mettez-vous en[10] ma place, et voyez ce que je puis faire. Avisez, ordonnez vous-même : je m'en remets à vous, et je vous crois trop raison-
30 nable pour vouloir exiger de moi que[11] ce qui peut m'être permis par l'honneur et la bienséance.

CLÉANTE / Hélas! où me réduisez-vous, que de me renvoyer[12] à ce que voudront me permettre les fâcheux sentiments d'un rigoureux honneur et d'une scrupuleuse bienséance?

35 MARIANE / Mais que voulez-vous que je fasse? Quand je pourrais[13] passer sur quantité d'égards où notre sexe est obligé, j'ai de la considération pour ma mère. Elle m'a tou-jours élevée avec une tendresse extrême, et je ne saurais me résoudre à lui donner du déplaisir[14]. Faites, agissez auprès
40 d'elle, employez tous vos soins à gagner son esprit[15] : vous pouvez faire et dire tout ce que vous voudrez, je vous en donne la licence[16]; et s'il ne tient qu'à me déclarer en votre faveur, je veux bien consentir à lui faire un aveu moi-même de tout ce que je sens pour vous.

45 CLÉANTE / Frosine, ma pauvre Frosine, voudrais-tu nous servir?

FROSINE / Par ma foi! faut-il demander? je le voudrais de tout mon cœur. Vous savez que de mon naturel je suis assez humaine; le Ciel ne m'a point fait l'âme de bronze, et je n'ai
50 que trop de tendresse à[17] rendre de petits services, quand je vois des gens qui s'entr'aiment en tout bien et en tout honneur. Que pourrions-nous faire à ceci?

CLÉANTE / Songe un peu, je te prie.

MARIANE   Ouvre-nous des lumières[18].

55 ÉLISE / Trouve quelque invention pour rompre[19] ce que tu as fait.

---

10 *en :* à.
11 *que :* autre chose que.
12 *que de me renvoyer :* en me renvoyant.
13 *quand je pourrais :* même si je pouvais.
14 *déplaisir :* à lui causer du chagrin.
15 *à gagner son esprit :* à la persuader.
16 *licence :* permission.
17 *je n'ai que trop de tendresse à :* ayant l'âme tendre, je ne suis que trop portée à.
18 *ouvre-nous des lumières :* éclaire-nous par tes conseils.
19 *rompre :* détruire (mariage entre Harpagon et Mariane).

FROSINE / Ceci est assez difficile. Pour votre mère, elle n'est
pas tout à fait déraisonnable, et peut-être pourrait-on la
gagner, et la résoudre à transporter au fils le don qu'elle
60 veut faire au père. Mais le mal que j'y trouve, c'est que votre
père (*A Cléante*) est votre père[20].

CLÉANTE / Cela s'entend[21].

FROSINE / Je veux dire qu'il conservera du dépit, si l'on
montre qu'on le refuse; et qu'il ne sera point d'humeur
65 ensuite à donner son consentement à votre mariage. Il faudrait, pour bien faire, que le refus vînt de lui-même, et tâcher
par quelque moyen de le dégoûter de votre personne[22].

CLÉANTE / Tu as raison.

FROSINE / Oui, j'ai raison, je le sais bien. C'est là ce qu'il
70 faudrait; mais le diantre[23] est d'en pouvoir trouver les
moyens. Attendez : si nous avions quelque femme un peu
sur l'âge[24], qui fût de mon talent, et jouât assez bien pour
contrefaire une dame de qualité, par le moyen d'un train
fait à la hâte[25], et d'un bizarre nom de marquise, ou de
75 vicomtesse, que nous supposerions de la basse Bretagne[26],
j'aurais assez d'adresse pour faire accroire à votre père que
ce serait une personne riche, outre ses maisons, de cent mille
écus en argent comptant; qu'elle serait éperdument amoureuse de lui, et souhaiterait de se voir sa femme, jusqu'à
80 lui donner tout son bien par contrat de mariage[27]; et je ne

---

20 *est votre père* : elle veut dire qu'Harpagon est à la fois le
    père de Cléante et son rival en amour.
21 *cela s'entend* : cela se comprend (oui, bien sûr).
22 *de votre personne* : elle s'adresse maintenant à Mariane.
23 *le diantre* : le diable (la difficulté est de...)
24 *un peu sur l'âge* : d'un certain âge (qui n'est plus toute
    jeune).
25 *d'un train fait à la hâte* : d'un train de maison (ensemble des
    serviteurs) composé à la hâte.
26 *de la basse Bretagne* : parce que ce pays est loin de Paris et
    était considéré comme très arriéré.
27 *par contrat de mariage* : ordinairement chacun des deux
    époux conservait son bien propre. C'est par amour pour
    Harpagon que la basse Bretonne consentirait à un procédé
    aussi inhabituel!

doute point qu'il ne prêtât[28] l'oreille à la proposition; car
enfin il vous aime fort, je le sais; mais il aime un peu plus
l'argent; et quand, ébloui de ce leurre[29], il aurait une fois
consenti à ce qui vous touche[30], il importerait peu ensuite
85 qu'il se désabusât[31], en venant à vouloir voir clair aux effets[32]
de notre marquise.

CLÉANTE / Tout cela est fort bien pensé.

FROSINE / Laissez-moi faire. Je viens de me ressouvenir d'une
de mes amies, qui sera notre fait[33].

90 CLÉANTE / Sois assurée, Frosine, de ma reconnaissance, si
tu viens à bout de la chose. Mais, charmante Mariane, commençons, je vous prie, par gagner votre mère : c'est toujours
beaucoup faire que de rompre ce mariage. Faites-y de votre
part, je vous en conjure, tous les efforts qu'il vous sera pos-
95 sible; servez-vous de tout le pouvoir que vous donne sur
elle cette amitié[34] qu'elle a pour vous; déployez sans réserve
les grâces éloquentes, les charmes tout-puissants que le Ciel
a placés dans vos yeux et dans vos bouche; et n'oubliez
rien, s'il vous plaît, de ces tendres paroles, de ces douces
100 prières, et de ces caresses touchantes à qui[35] je suis persuadé
qu'on ne saurait rien refuser.

MARIANE / J'y ferai tout ce que je puis, et n'oublierai aucune
chose.

comique — ça ne se passe vraiment { *Frosine va inventer une personnage irréel avec de l'argent pour qu'il puisse en degouter de Mariane* }

---

28 *qu'il ne prêtât :* faute apparente contre la concordance des
    temps, parce que le subjonctif imparfait remplace ici un
    conditionnel du style direct (« il prêterait l'oreille, je n'en
    doute pas »).

29 *leurre :* image empruntée au langage de la fauconnerie.
    C'était le morceau de cuir rouge en forme d'oiseau que
    l'on montrait au faucon pour le faire revenir sur le poing
    du chasseur; donc, ici : appât, apparence trompeuse.

30 *touche :* concerne, intéresse.

31 *se désabusât :* fût détrompé.

32 *effets :* biens, fortune (quand Harpagon voudrait réaliser
    la fortune de sa femme).

33 *qui sera notre fait :* qui fera notre affaire.

34 *amitié :* affection (pouvait se dire des sentiments d'une
    mère pour sa fille, ou réciproquement).

35 *à qui :* auxquelles (ne pourrait plus s'employer aujourd'hui
    avec un nom de chose comme antécédent).

SCÈNE II : HARPAGON, CLÉANTE, MARIANE, ÉLISE, FROSINE

HARPAGON / Ouais, mon fils baise la main de sa prétendue[1] belle-mère, et sa prétendue belle-mère ne s'en défend pas fort. Y aurait-il quelque mystère là-dessous ?

ÉLISE / Voilà mon père[2].

5 HARPAGON / Le carrosse est tout prêt. Vous pouvez partir quand il vous plaira.

CLÉANTE / Puisque vous n'y allez pas, mon père, je m'en vais les conduire.

HARPAGON / Non, demeurez. Elles iront bien toutes seules;

10 et j'ai besoin de vous.

SCÈNE III : HARPAGON, CLÉANTE

HARPAGON / Ô çà[1], intérêt de belle-mère à part[2], que te semble à toi de cette personne ?

CLÉANTE / Ce qui m'en semble ?

HARPAGON / Oui, de son air, de sa taille, de sa beauté, de

5 son esprit ?

CLÉANTE / Là, là[3].

HARPAGON / Mais encore ?

CLÉANTE / A vous en parler franchement, je ne l'ai pas trouvée ici ce que je l'avais crue. Son air est de franche

10 coquette; sa taille est assez gauche, sa beauté très médiocre, et son esprit des plus communs. Ne croyez pas que ce soit, mon père, pour vous en dégoûter; car, belle-mère pour belle-mère, j'aime autant celle-là qu'une autre.

HARPAGON / Tu lui disais tantôt pourtant...

15 CLÉANTE / Je lui ai dit quelques douceurs en votre nom, mais c'était pour vous plaire.

---

1 *prétendue* : future.
2 Élise crie ces mots bien fort, pour avertir Cléante et Mariane de l'arrivée d'Harpagon.
1 *Ô çà* : eh bien donc.
2 *intérêt de belle-mère à part* : en ne considérant plus Mariane comme une future belle-mère.
3 *là, là* : Cléante veut indiquer qu'il est peu enthousiaste, qu'il n'a pas beaucoup apprécié la jeune fille.

HARPAGON / Si bien donc que tu n'aurais pas d'inclination pour elle?

CLÉANTE / Moi? point du tout.

20 HARPAGON / J'en suis fâché; car cela rompt une pensée[4] qui m'était venue dans l'esprit. J'ai fait, en la voyant ici, réflexion sur mon âge; et j'ai songé qu'on pourra trouver à redire de me voir marier à une si jeune personne. Cette considération m'en faisait quitter le dessein; et comme je l'ai fait demander,
25 et que je suis pour elle engagé de parole, je te l'aurais donnée, sans l'aversion que tu témoignes.

CLÉANTE / A moi?

HARPAGON / A toi.

CLÉANTE / En mariage?

30 HARPAGON / En mariage.

CLÉANTE / Écoutez : il est vrai qu'elle n'est pas fort à mon goût; mais pour vous faire plaisir, mon père, je me résoudrai à l'épouser, si vous voulez.

HARPAGON / Moi? Je suis plus raisonnable que tu ne penses :
35 je ne veux point forcer ton inclination.

CLÉANTE / Pardonnez-moi[5], je me ferai cet effort pour l'amour de vous.

HARPAGON / Non, non : un mariage ne saurait être heureux où l'inclination n'est pas[6].

40 CLÉANTE / C'est une chose, mon père, qui peut-être viendra ensuite; et l'on dit que l'amour est souvent un fruit du mariage.

HARPAGON / Non : du côté de l'homme, on ne doit point risquer l'affaire, et ce sont des suites[7] fâcheuses, où je n'ai
45 garde de me commettre[8]. Si tu avais senti quelque inclination pour elle, à la bonne heure : je te l'aurais fait épouser, au lieu de moi; mais cela n'étant pas, je suivrai mon premier dessein, et je l'épouserai moi-même.

---

4 *cela rompt une pensée :* cela contrarie un projet.
5 *pardonnez-moi :* par ces mots Cléante contredit poliment son père; donc c'est comme s'il disait : « vous avez tort de parler ainsi ».
6 *où l'inclination n'est pas :* quand les époux n'ont pas d'amour l'un pour l'autre.
7 *ce sont des suites... :* un tel mariage a des conséquences...
8 *me commettre :* m'engager.

CLÉANTE / Hé bien! mon père, puisque les choses sont ainsi,
50 il faut vous découvrir mon cœur, il faut vous révéler notre
secret. La vérité est que je l'aime depuis un jour que je la vis
dans une promenade, que mon dessein était tantôt de vous
la demander pour femme; et que rien ne m'a retenu que la
déclaration de vos sentiments, et la crainte de vous déplaire.

55 HARPAGON / Lui avez-vous[9] rendu visite?

CLÉANTE / Oui, mon père.

HARPAGON / Beaucoup de fois?

CLÉANTE / Assez, pour le temps qu'il y a[10].

HARPAGON / Vous a-t-on bien reçu?

60 CLÉANTE / Fort bien, mais sans savoir qui j'étais; et c'est
ce qui a fait tantôt la surprise de Mariane.

HARPAGON / Lui avez-vous déclaré votre passion, et le dessein où vous étiez de l'épouser?

CLÉANTE / Sans doute, et même j'en avais fait à sa mère
65 quelque peu d'ouverture[11].

HARPAGON / A-t-elle écouté, pour sa fille, votre proposition?

CLÉANTE / Oui, fort civilement[12].

HARPAGON / Et la fille correspond-elle[13] fort à votre amour?

CLÉANTE / Si j'en dois croire les apparences, je me persuade,
70 mon père, qu'elle a quelque bonté[14] pour moi.

HARPAGON / Je suis bien aise d'avoir appris un tel secret,
et voilà justement ce que je demandais. Oh sus[15]! mon fils,
savez-vous ce qu'il y a? c'est qu'il faut songer, s'il vous plaît,
à vous défaire de votre amour; à cesser toutes vos poursuites
75 auprès d'une personne que je prétends[16] pour moi; et à vous
marier dans peu avec celle qu'on vous destine.

---

9   *vous* : Harpagon cesse de tutoyer son fils; le ton devient
    sévère.
10 *pour le temps qu'il y a* : étant donné le peu de temps que
    nous avons fait connaissance.
11 *ouverture* : j'en avais déjà fait l'aveu à sa mère.
12 *fort civilement* : avec beaucoup de courtoisie.
13 *correspond-elle* : répond-elle.
14 *bonté* : expression atténuée (par modestie), pour dire :
    qu'elle a de l'amour pour moi.
15 *oh sus!* interjection qui sert à exhorter.
16 *je prétends* : je réclame, comme une chose due.

CLÉANTE / Oui, mon père, c'est ainsi que vous me jouez!
Hé bien! puisque les choses en sont venues là, je vous déclare,
moi, que je ne quitterai point la passion que j'ai pour Mariane,
80   qu'il n'y a point d'extrémité où je ne m'abandonne pour vous
disputer sa conquête, et que si vous avez pour vous le consentement d'une mère, j'aurai d'autres secours[17] peut-être
qui combattront pour moi.

HARPAGON / Comment, pendard? tu[18] as l'audace d'aller sur
85   mes brisées[19]?

CLÉANTE / C'est vous qui allez sur les miennes! et je suis le
premier en date.

HARPAGON / Ne suis-je pas ton père? et ne me dois-tu pas
respect?

90   CLÉANTE / Ce ne sont point ici des choses où les enfants
soient obligés de déférer[20] aux pères; et l'amour ne connaît
personne.

---

17   *d'autres secours :* sa jeunesse, sa beauté!
18   *tu :* le tutoiement reparaît, cette fois pour marquer, non
la bienveillance, mais le mépris.
19   *brisées :* image empruntée au langage de la vénerie (chasse à
courre). Au sens propre : branches brisées, au moyen des-
quelles on marquait le passage du cerf. Donc aller sur les
brisées de quelqu'un, c'est courir après son gibier.
20   *déférer :* se soumettre avec déférence (aux ordres d'un père).

QUESTIONS en vue de l'explication de la scène 3 :

1 *Au début de la scène 3, Harpagon ne sait pas qu'il a son fils
pour rival. Mais a-t-il des soupçons?*

2 *En quoi consiste la ruse d'Harpagon?*

3 *Étudiez l'attitude de Cléante. Est-il vraisemblable qu'il abandonne sa prudence du début et se laisse duper par son père?*

4 *Montrez la composition et le mouvement de la scène? A quel
moment Harpagon jette-t-il le masque?*

5 *La situation étant une situation de tragédie, comment Molière
s'y prend-il pour que cette scène reste dans le ton de la comédie?*

6 *Quelle est l'importance de la scène 3 pour l'action de la pièce?*

HARPAGON / Qui est-ce qui parle de t'accorder Mariane?

CLÉANTE / Vous, mon père.

HARPAGON / Moi?

CLÉANTE / Sans doute.

30 HARPAGON / Comment? C'est toi qui as promis d'y³ renoncer.

CLÉANTE / Moi, y renoncer?

HARPAGON / Oui.

CLÉANTE / Point du tout.

HARPAGON / Tu ne t'es pas départi⁴ d'y prétendre?

35 CLÉANTE / Au contraire, j'y suis porté plus que jamais.

HARPAGON / Quoi? pendard, derechef⁵?

CLÉANTE / Rien ne me peut changer.

HARPAGON / Laisse-moi faire, traître.

CLÉANTE / Faites tout ce qu'il vous plaira.

40 HARPAGON / Je te défends de me jamais voir.

CLÉANTE / A la bonne heure.

HARPAGON / Je t'abandonne.

CLÉANTE / Abandonnez.

HARPAGON / Je te renonce⁶ pour mon fils.

45 CLÉANTE / Soit.

HARPAGON / Je te déshérite.

CLÉANTE / Tout ce que vous voudrez.

HARPAGON / Et je te donne ma malédiction.

CLÉANTE / Je n'ai que faire de vos dons.

---

3 *y :* à Mariane.
4 *tu ne t'es pas départi de :* tu n'as pas renoncé à.
5 *derechef :* pour la seconde fois.
6 *je te renonce :* je te désavoue.

QUESTIONS en vue de l'explication de la scène 5 :

1 *Distinguez les deux mouvements de la scène, en montrant quelle est la réplique-charnière, qui fait pivoter l'action.*

2 *A propos de la fin de cette scène, discutez l'opinion de Jean-Jacques Rousseau, d'après laquelle Molière y aurait bafoué l'autorité paternelle (« Cette pièce* [L'Avare], *écrit Rousseau, est une école de mauvaises mœurs »).*

SCÈNE VI : LA FLÈCHE, CLÉANTE

LA FLÈCHE, *sortant du jardin, avec une cassette* / Ah! monsieur, que je vous trouve à propos! suivez-moi vite.

CLÉANTE / Qu'y a-t-il?

LA FLÈCHE / Suivez-moi, vous dis-je : nous sommes bien[1].

5 CLÉANTE / Comment?

LA FLÈCHE / Voici votre affaire.

CLÉANTE / Quoi?

LA FLÈCHE / J'ai guigné[2] ceci tout le jour.

CLÉANTE / Qu'est-ce que c'est?

10 LA FLÈCHE / Le trésor de votre père, que j'ai attrapé.

CLÉANTE / Comment as-tu fait?

LA FLÈCHE / Vous saurez tout. Sauvons-nous, je l'entends crier.

SCÈNE VII : HARPAGON

Il crie au voleur dès le jardin, et vient sans chapeau.

Au voleur! au voleur! à l'assassin! au meurtrier! Justice, juste Ciel[1]! je suis perdu, je suis assassiné[2], on m'a coupé la gorge, on m'a dérobé mon argent. Qui peut-ce être?

5 Qu'est-il devenu? Où est-il? Où se cache-t-il? Que ferai-je pour le trouver? Où courir? Où ne pas courir? N'est-il point là? N'est-il point ici? Qui est-ce? Arrête. Rends-moi mon argent, coquin... (*Il se prend lui-même le bras.*) Ah! c'est moi. Mon esprit est troublé, et j'ignore où je suis, qui

10 je suis, et ce que je fais. Hélas! mon pauvre argent, mon pauvre argent, mon cher ami! on m'a privé de toi; et puisque

---

1 *nous sommes bien :* nous sommes bien dans nos affaires, tout va bien pour nous.

2 *j'ai guigné :* j'ai guetté (en fermant les yeux à demi, pour regarder du coin de l'œil).

1 *justice, juste Ciel :* justice est un complément d'objet (je demande justice); juste Ciel est mis en apostrophe (il s'adresse au Ciel).

2 *assassiné :* ce mot pouvait s'employer pour dire « tourmenté violemment »; mais ici Harpagon semble l'employer dans son sens propre (voir plus loin : « on m'a coupé la gorge » et « je suis mort, je suis enterré »).

L'importance de l'argent pour Harp.

tu m'es enlevé, j'ai perdu mon support[3], ma consolation,
ma joie; tout est fini pour moi, et je n'ai plus que faire au
monde : sans toi, il m'est impossible de vivre. C'en est fait,
15 je n'en puis plus; je me meurs, je suis mort, je suis enterré.
N'y a-t-il personne qui veuille me ressusciter, en me rendant
mon cher argent, ou en m'apprenant qui l'a pris? Euh? que
dites-vous? Ce n'est personne. Il faut, qui que ce soit qui
ait fait le coup, qu'avec beaucoup de soin on ait épié l'heure;
20 et l'on a choisi justement le temps que[4] je parlais à mon
traître de fils. Sortons. Je veux aller querir[5] la justice, et
faire donner la question[6] à toute la maison : à servantes,
à valets, à fils, à fille, et à moi aussi. Que de gens assemblés[7]!
Je ne jette mes regards sur personne qui ne me donne des
25 soupçons, et tout me semble mon voleur. Eh! de quoi est-ce
qu'on parle là[8]? De celui qui m'a dérobé? Quel bruit fait-on
là-haut[9]? Est-ce mon voleur qui y est? De grâce, si l'on sait
des nouvelles de mon voleur, je supplie que l'on m'en dise.
N'est-il point caché là parmi vous? Ils me regardent tous, et
30 se mettent à rire. Vous verrez qu'ils ont part sans doute
au vol que l'on m'a fait. Allons vite, des commissaires[10],
des archers[11], des prévôts[12], des juges, des gênes[13], des
potences et des bourreaux. Je veux faire pendre tout le
monde; et si je ne retrouve mon argent, je me pendrai moi-
35 même après.

---

3 *support :* soutien, appui moral.
4 *le temps que :* le temps où.
5 *querir :* chercher.
6 *question :* torture. C'était l'usage de torturer les personnes
   soupçonnées d'un crime, pour le leur faire avouer.
7 L'acteur regarde alors le public, les spectateurs assemblés
   dans la salle.
8 *là :* aux fauteuils des premiers rangs.
9 *là-haut :* au balcon.
10 *commissaires :* agents enquêteurs.
11 *archers :* hommes d'armes qui accompagnaient les prévôts
   pour les arrestations. Au XVIIe siècle ils ne portaient plus
   des arcs, mais des hallebardes et des mousquets; cependant
   on continuait, par tradition, à les appeler archers.
12 *prévôts :* il s'agit ici des « prévôts des maréchaux », chargés
   d'assurer la sécurité des campagnes contre les malfaiteurs.
13 *gênes :* tortures (au sens propre : les tortures réservées aux
   damnés, en enfer). Ce mot, dont le sens s'est beaucoup
   affaibli, a toujours un sens très fort au XVIIe siècle.

QUESTIONS en vue de l'explication de la scène 7 :

1 *Quel fait nouveau important vient-on d'apprendre à la scène 6 ?*

2 *Montrez la composition et le mouvement du monologue de la scène 7.*

3 *La douleur d'Harpagon est certainement sincère et profonde. Comment Molière s'y est-il pris pour en rendre le spectacle comique ? Relevez les jeux de scène et les traits comiques, pour en apprécier la valeur.*

4 *A un certain moment, Harpagon s'adresse aux spectateurs assemblés dans la salle. N'y a-t-il pas là une rupture de la convention théâtrale ?*

FAISONS LE POINT

• **L'acte IV a apporté, au point de vue de l'intrigue, deux faits nouveaux importants :**

— Harpagon a appris, ce qu'il ignorait jusqu'alors, que Cléante est son rival.

— Il a noué une intrigue amoureuse avec Mariane, qu'il prétend épouser.

La fausse réconciliation entre le père et le fils, dont maître Jacques s'est fait gloire, n'a fait que porter à son paroxysme le conflit entre les deux rivaux. La guerre est déclarée entre eux, et on ne voit pas du tout comment sortir d'une telle situation.

L'intrigue est arrivée à son point culminant.

• C'est à ce moment que se produit un deuxième fait important, **le vol de la cassette,** qui, brochant une deuxième intrigue sur la première, va déterminer le dénouement d'une façon absolument imprévue.

ACTE V

LE COMMISSAIRE / Laissez-moi faire : je sais mon métier, Dieu merci. Ce n'est pas d'aujourd'hui que je me mêle de découvrir des vols; et je voudrais avoir autant de sacs de mille francs que j'ai fait pendre de personnes[3].

5 HARPAGON / Tous les magistrats sont intéressés[4] à prendre cette affaire en main; et si l'on ne me fait retrouver mon argent, je demanderai justice de la justice.

LE COMMISSAIRE / Il faut faire toutes les poursuites requises. Vous dites qu'il y avait dans cette cassette?...

10 HARPAGON / Dix mille écus[5] bien comptés.

LE COMMISSAIRE / Dix mille écus!

HARPAGON / Dix mille écus.

LE COMMISSAIRE / Le vol est considérable.

HARPAGON / Il n'y a point de supplice assez grand pour
15 l'énormité de ce crime; et s'il demeure impuni, les choses les plus sacrées ne sont plus en sûreté[6].

LE COMMISSAIRE / En quelles espèces était cette somme?

HARPAGON / En bons louis d'or et pistoles[7] bien trébuchantes[8].

---

1 *commissaire :* personnage « commis », c'est-à-dire délégué par un juge pour faire une enquête.

2 *clerc :* celui qui travaille dans l'étude d'un officier ministériel; ici, l'aide du commissaire.

3 *que j'ai fait pendre de personnes :* on pendait alors les voleurs.

4 *sont intéressés :* c'est-à-dire que cela importe au renom de la justice et des magistrats.

5 *dix mille écus :* trente mille francs (en pouvoir d'achat : trois cent mille nouveaux francs, environ, d'aujourd'hui).

6 *sûreté :* exagération comique. Pour Harpagon le vol est un plus grand crime que l'assassinat!

7 *pistole :* monnaie d'or étrangère, dont le poids et la valeur étaient égaux à ceux du louis d'or (onze francs ou livres, à cette époque).

8 *trébuchantes :* qui font pencher le « trébuchet » (petite balance servant à peser les pièces d'or), c'est-à-dire qui ont encore le léger excédent de poids que l'on donnait aux monnaies, lors de leur fabrication.

20 LE COMMISSAIRE / Qui soupçonnez-vous de ce vol?

HARPAGON / Tout le monde; et je veux que vous arrêtiez prisonniers la ville et les faubourgs[9].

LE COMMISSAIRE / Il faut, si vous m'en croyez, n'effaroucher personne, et tâcher doucement d'attraper quelques preuves,
25 afin de procéder après par la rigueur au recouvrement des deniers[10] qui vous ont été pris.

SCÈNE II : MAÎTRE JACQUES, HARPAGON,
LE COMMISSAIRE, SON CLERC

MAÎTRE JACQUES, *au bout du théâtre, en se retournant du côté dont il sort* / Je m'en vais revenir. Qu'on me[1] l'égorge tout à l'heure[2], qu'on me lui fasse griller les pieds, qu'on me le mette dans l'eau bouillante, et qu'on me le pende au
5 plancher[3].

HARPAGON / Qui? celui qui m'a dérobé[4]?

MAÎTRE JACQUES / Je parle d'un cochon de lait que votre intendant me vient d'envoyer[5], et je veux vous l'accommoder à ma fantaisie.

10 HARPAGON / Il n'est pas question de cela; et voilà monsieur, à qui il faut parler d'autre chose.

LE COMMISSAIRE / Ne vous épouvantez point. Je suis homme à ne vous point scandaliser[6], et les choses iront dans la douceur[7].

---

9   *la ville et les faubourgs :* les habitants de la ville et des faubourgs.
10 *deniers* signifie ici : l'argent, en général, en quelque espèce qu'il soit.
1   *me :* pour moi; pronom explétif, habituel dans la langue familière (par ex. La Fontaine VI, 18, 27 : « Prends ton pic et me romps ce caillou qui te nuit »).
2   *tout à l'heure :* tout de suite.
3   *plancher :* plafond.
4   *m'a dérobé :* m'a volé (ce verbe pouvait s'employer avec un nom de personne comme complément d'objet).
5   *me vient d'envoyer :* vient de m'envoyer.
6   *scandaliser :* faire affront à quelqu'un, en public.
7   *iront dans la douceur :* se passeront en douceur.

15 MAÎTRE JACQUES / Monsieur est de votre souper?

LE COMMISSAIRE / Il faut ici, mon cher ami, ne rien cacher à votre maître.

MAÎTRE JACQUES / Ma foi! monsieur, je montrerai tout ce que je sais faire, et je vous traiterai du mieux qu'il me sera
20 possible.

HARPAGON / Ce n'est pas là l'affaire.

MAÎTRE JACQUES / Si je ne vous fais pas aussi bonne chère que je voudrais, c'est la faute de monsieur notre intendant, qui m'a rogné les ailes avec les ciseaux de son économie[8].

25 HARPAGON / Traître, il s'agit d'autre chose que de souper; et je veux que tu me dises des nouvelles de l'argent qu'on m'a pris.

MAÎTRE JACQUES / On vous a pris de l'argent?

HARPAGON / Oui, coquin; et je m'en vais te pendre, si tu ne
30 me le rends.

LE COMMISSAIRE / Mon Dieu! ne le maltraitez point. Je vois à sa mine qu'il est honnête homme[9], et que sans se faire mettre en prison, il vous découvrira ce que vous voulez savoir. Oui, mon ami, si vous nous confessez la chose, il
35 ne vous sera fait aucun mal, et vous serez récompensé comme il faut par votre maître. On lui a pris aujourd'hui son argent, et il n'est pas que vous ne sachiez[10] quelques nouvelles de cette affaire.

MAÎTRE JACQUES, *à part* / Voici justement ce qu'il me
40 faut pour me venger de notre intendant : depuis qu'il est entré céans[11], il est le favori, on n'écoute que ses conseils; et j'ai aussi sur le cœur les coups de bâton de tantôt[12].

---

8 *les ciseaux de son économie* : image un peu précieuse, qui étonne dans la bouche d'un valet; l'art culinaire de maître Jacques n'a pu se donner libre cours, comme un oiseau auquel on a rogné les ailes pour l'empêcher de voler.

9 *honnête homme* a déjà ici le sens actuel : probe, incapable d'une malhonnêteté.

10 *il n'est pas que vous ne sachiez* : il est impossible que vous ne sachiez pas.

11 *céans* : ici dedans, dans la maison.

12 *tantôt* : il y a quelques instants (allusion à la scène 2 de l'acte III).

HARPAGON / Qu'as-tu à ruminer?

45 LE COMMISSAIRE / Laissez-le faire : il se prépare à vous contenter, et je vous ai bien dit qu'il était honnête homme.

MAÎTRE JACQUES / Monsieur, si vous voulez que je vous dise les choses, je crois que c'est monsieur votre cher intendant qui a fait le coup.

HARPAGON / Valère?

50 MAÎTRE JACQUES / Oui.

HARPAGON / Lui, qui me paraît si fidèle[13]?

MAÎTRE JACQUES / Lui-même. Je crois que c'est lui qui vous a dérobé.

HARPAGON / Et sur quoi[14] le crois-tu?

55 MAÎTRE JACQUES / Sur quoi?

HARPAGON / Oui.

MAÎTRE JACQUES / Je le crois... sur ce que je le crois.

LE COMMISSAIRE / Mais il est nécessaire de dire les indices que vous avez.

60 HARPAGON / L'as-tu vu rôder autour du lieu où j'avais mis mon argent?

---

13 *fidèle :* honnête (en parlant d'un domestique).
14 *sur quoi :* d'après quels indices.

QUESTIONS en vue de l'explication des scènes 1 et 2 :

1 *Relevez, dans les paroles du commissaire, celles qui font paraître son caractère, ou tout au moins les effets de la déformation professionnelle.*

2 *Relevez quelques nouveaux traits d'avarice d'Harpagon dans les scènes 1 et 2.*

3 *Au début de la scène 2, appréciez la vraisemblance et la valeur comique du quiproquo.*

4 *A la fin de la scène 2, que pensez-vous de l'interrogatoire de maître Jacques par Harpagon? Celui-ci se montre-t-il un bon juge d'instruction? « Il n'y a point de doute, c'est elle assurément », conclut Harpagon : en quoi ce mot est-il comique?*

MAÎTRE JACQUES / Oui, vraiment. Où était-il votre argent?

HARPAGON / Dans le jardin.

MAÎTRE JACQUES / Justement; je l'ai vu rôder dans le jardin.
65 Et dans quoi est-ce que cet argent était?

HARPAGON / Dans une cassette.

MAÎTRE JACQUES / Voilà l'affaire : je lui ai vu une cassette.

HARPAGON / Et cette cassette, comment est-elle faite? Je
verrai bien si c'est la mienne.

70 MAÎTRE JACQUES / Comment elle est faite?

HARPAGON / Oui.

MAÎTRE JACQUES / Elle est faite... elle est faite comme une
cassette.

LE COMMISSAIRE / Cela s'entend. Mais dépeignez-la un peu,
75 pour voir.

MAÎTRE JACQUES / C'est une grande cassette.

HARPAGON / Celle qu'on m'a volée est petite.

MAÎTRE JACQUES / Eh! oui, elle est petite, si on le veut
prendre par là[15], mais je l'appelle grande pour ce qu'elle
80 contient.

LE COMMISSAIRE / Et de quelle couleur est-elle?

MAÎTRE JACQUES / De quelle couleur?

LE COMMISSAIRE / Oui.

MAÎTRE JACQUES / Elle est de couleur... là, d'une certaine
85 couleur... Ne sauriez-vous m'aider à dire?

HARPAGON / Euh?

MAÎTRE JACQUES / N'est-elle pas rouge?

HARPAGON / Non, grise.

MAÎTRE JACQUES / Eh! oui, gris-rouge : c'est ce que je vou-
90 lais dire.

HARPAGON / Il n'y a point de doute : c'est elle assurément.
Écrivez, monsieur, écrivez sa déposition. Ciel! à qui désormais se fier? Il ne faut plus jurer de rien; et je crois après
cela que je suis homme à me voler moi-même.

95 MAÎTRE JACQUES / Monsieur, le voici qui revient. Ne lui allez
pas dire au moins que c'est moi qui vous ai découvert cela.

---

15 *si on le veut prendre par là :* si on veut considérer ainsi la
chose.

SCÈNE III : VALÈRE, HARPAGON, LE COMMISSAIRE,
SON CLERC, MAÎTRE JACQUES

HARPAGON / Approche : viens confesser l'action la plus
noire, l'attentat le plus horrible qui jamais ait été commis.

VALÈRE / Que voulez-vous, monsieur?

HARPAGON / Comment, traître, tu ne rougis pas de ton
5 crime?

VALÈRE / De quel crime voulez-vous donc parler?

HARPAGON / De quel crime je veux parler, infâme? comme
si tu ne savais pas ce que je veux dire. C'est en vain què tu
prétendrais¹ de le déguiser : l'affaire est découverte, et l'on
10 vient de m'apprendre tout. Comment abuser ainsi de ma
bonté, et s'introduire exprès chez moi pour me trahir? pour
me jouer un tour de cette nature?

VALÈRE / Monsieur, puisqu'on vous a découvert tout, je ne
veux point chercher de détours et vous nier la chose.

15 MAÎTRE JACQUES / Oh, oh! aurais-je deviné sans y penser?

VALÈRE / C'était mon dessein de vous en parler, et je voulais
attendre pour cela des conjonctures² favorables; mais puisqu'il est ainsi, je vous conjure de ne vous point fâcher, et de
vouloir entendre mes raisons.

20 HARPAGON / Et quelles belles raisons peux-tu me donner,
voleur infâme?

VALÈRE / Ah! monsieur, je n'ai pas mérité ces noms. Il est
vrai que j'ai commis une offense envers vous; mais, après
tout, ma faute est pardonnable.

25 HARPAGON / Comment! pardonnable? Un guet-apens? un
assassinat³ de la sorte?

VALÈRE / De grâce, ne vous mettez point en colère. Quand
vous m'aurez ouï⁴, vous verrez que le mal n'est pas si grand
que vous le faites.

---

1 *prétendrais de :* aurais l'intention de.
2 *conjonctures :* circonstances.
3 *assassinat :* un abominable attentat (pas nécessairement
   un meurtre).
4 *ouï :* entendu (tandis que « entendre », un peu plus haut,
   signifiait « comprendre »).

30 HARPAGON / Le mal n'est pas si grand que je le fais! Quoi?
mon sang, mes entrailles, pendard?

VALÈRE / Votre sang[5], monsieur, n'est pas tombé dans de
mauvaises mains. Je suis d'une condition à ne lui point faire
de tort, et il n'y a rien en tout ceci que je ne puisse bien
35 réparer[6].

HARPAGON / C'est bien mon intention, et que tu me restitues
ce que tu m'as ravi.

VALÈRE / Votre honneur, monsieur, sera pleinement satisfait.

HARPAGON / Il n'est pas question d'honneur là-dedans. Mais
40 dis-moi, qui t'a porté à cette action?

VALÈRE / Hélas! me le demandez-vous?

HARPAGON / Oui, vraiment, je te le demande.

VALÈRE / Un dieu qui porte les excuses de tout ce qu'il fait
faire : l'Amour.

45 HARPAGON / L'Amour?

VALÈRE / Oui.

HARPAGON / Bel amour, bel amour, ma foi! l'amour de mes
louis d'or.

VALÈRE / Non, monsieur, ce ne sont point vos richesses qui
50 m'ont tenté; ce n'est pas cela qui m'a ébloui, et je proteste
de ne prétendre rien à[7] tous vos biens, pourvu que vous me
laissiez celui que j'ai.

HARPAGON / Non ferai[8], de par tous les diables! je ne te le
laisserai pas. Mais voyez quelle insolence de vouloir retenir
55 le vol[9] qu'il m'a fait!

VALÈRE / Appelez-vous cela un vol?

HARPAGON / Si je l'appelle un vol? Un trésor comme celui-là!

---

5   *sang :* Valère croit naturellement qu'il s'agit d'Élise, tandis
    que, pour Harpagon, « son sang, ses entrailles » c'est son
    argent (on se rappelle ce qu'il disait dans le monologue,
    acte IV, scène 7).

6   Valère veut dire qu'il est d'assez bonne naissance pour
    pouvoir épouser Élise, et qu'ainsi l'honneur de la jeune
    fille sera sauf.

7   *je proteste de ne prétendre rien à :* j'affirme sous serment
    que je ne désire rien de.

8   *non ferai :* je ne le ferai pas (le pronom neutre *le* pouvait
    être sous-entendu).

9   *le vol :* le produit du vol.

VALÈRE / C'est un trésor, il est vrai, et le plus précieux que vous ayez sans doute; mais ce ne sera pas le perdre que de me le laisser. Je vous le demande à genoux, ce trésor plein de charmes; et pour bien faire, il faut que vous me l'accordiez.

HARPAGON / Je n'en ferai rien. Qu'est-ce à dire cela?

VALÈRE / Nous nous sommes promis une foi[10] mutuelle, et avons fait serment de ne nous point abandonner.

HARPAGON / Le serment est admirable, et la promesse plaisante!

VALÈRE / Oui, nous nous sommes engagés[11] d'être l'un à l'autre à jamais.

HARPAGON / Je vous en empêcherai bien, je vous assure.

VALÈRE / Rien que la mort ne nous peut séparer[12].

HARPAGON / C'est être bien endiablé[13] après mon argent.

VALÈRE / Je vous ai déjà dit, monsieur, que ce n'était point l'intérêt qui m'avait poussé à faire ce que j'ai fait. Mon cœur n'a point agi par les ressorts[14] que vous pensez, et un motif plus noble m'a inspiré cette résolution.

HARPAGON / Vous verrez que c'est par charité chrétienne qu'il veut avoir mon bien, mais j'y donnerai bon ordre; et la justice, pendard effronté, me va faire raison[15] de tout.

VALÈRE / Vous en userez comme vous voudrez, et me voilà prêt à souffrir toutes les violences qu'il vous plaira; mais je vous prie de croire, au moins, que, s'il y a du mal, ce n'est que moi qu'il en faut accuser, et que votre fille en tout ceci n'est aucunement coupable.

HARPAGON / Je le crois bien, vraiment; il serait fort étrange que ma fille eût trempé dans ce crime. Mais je veux ravoir mon affaire[16], et que tu me confesses en quel endroit tu me l'as enlevée.

---

10 *foi :* fidélité dans l'amour.
11 *nous nous sommes engagés de :* nous nous sommes promis de.
12 La mort seule peut nous séparer.
13 *être endiablé après :* poursuivre avec une ardeur diabolique.
14 *ressorts :* motifs qui font agir.
15 *me va faire raison :* va me venger.
16 *mon affaire :* mon bien. Molière emploie volontairement un mot vague; si Harpagon avait dit : « ma cassette », le quiproquo n'aurait plus été possible.

VALÈRE / Moi? je ne l'ai point enlevée, et elle est encore chez vous.

90   HARPAGON, *à part* / O ma chère cassette! (*Haut*) Elle n'est point sortie de ma maison?

VALÈRE / Non, monsieur.

HARPAGON / Hé! dis-moi donc un peu : tu n'y as point touché?

95   VALÈRE / Moi, y toucher? Ah! vous lui faites tort, aussi bien qu'à moi; et c'est d'une ardeur toute pure et respectueuse que j'ai brûlé pour elle.

HARPAGON / Brûlé pour ma cassette!

VALÈRE / J'aimerais mieux mourir que de lui avoir fait
100 paraître aucune pensée offensante : elle est trop sage et trop honnête pour cela.

HARPAGON / Ma cassette trop honnête!

VALÈRE / Tous mes désirs se sont bornés à jouir de sa vue; et rien de criminel n'a profané la passion que ses beaux yeux
105 m'ont inspirée.

HARPAGON / Les beaux yeux de ma cassette! Il parle d'elle comme un amant d'une maîtresse.

VALÈRE / Dame Claude, monsieur, sait la vérité de cette aventure, et elle vous peut rendre témoignage[17]...

110 HARPAGON / Quoi? ma servante est complice de l'affaire?

VALÈRE / Oui, monsieur, elle a été témoin de notre engagement; et c'est après avoir connu l'honnêteté de ma flamme[18], qu'elle m'a aidé à persuader votre fille de me donner sa foi, et recevoir la mienne.

115 HARPAGON / Eh! Est-ce que la peur de la justice le fait extravaguer? Que nous brouilles-tu ici de ma fille[19]?

VALÈRE / Je dis, monsieur, que j'ai eu toutes les peines du monde à faire consentir sa pudeur à ce que voulait mon amour.

---

17   On sait déjà, par une parole d'Élise à Valère (acte I, scène 1), qu'une servante a été la confidente de leur secret.
18   *ma flamme :* mon amour (style précieux).
19   *que nous brouilles-tu ici de ma fille?* pourquoi mêles-tu ma fille à l'affaire dont nous parlons?

120 HARPAGON / La pudeur de qui?

VALÈRE / De votre fille; et c'est seulement depuis hier qu'elle a pu se résoudre à nous signer[20] mutuellement une promesse de mariage.

HARPAGON / Ma fille t'a signé une promesse de mariage!

125 VALÈRE / Oui, monsieur, commé de ma part je lui en ai signé une.

HARPAGON / O Ciel! autre disgrâce!

MAÎTRE JACQUES, *au Commissaire* / Écrivez, monsieur, écrivez.

130 HARPAGON / Rengrégement[21] de mal! surcroît de désespoir! Allons, monsieur, faites le dû[22] de votre charge, et dressez-lui-moi[23] son procès, comme larron, et comme suborneur[24].

VALÈRE / Ce sont des noms qui ne me sont point dus; et quand on saura qui je suis...

---

20 *à nous signer :* à ce que nous nous signions (le sujet de l'infinitif pouvait être différent de celui du verbe principal).

21 *rengrégement :* augmentation.

22 *faites le dû de :* remplissez les obligations de.

23 *dressez-lui-moi :* le premier pronom est le complément d'attribution (à Valère); le second est explétif et donne à la phrase un tour familier.

24 *suborneur :* séducteur.

QUESTIONS en vue de l'explication de la scène 3 :

1 *Cette scène n'est qu'un long quiproquo. Celui-ci, dans son principe, vous paraît-il vraisemblable?*

2 *Relevez les mots, astucieusement choisis, par lesquels Molière réussit à prolonger le quiproquo.*

3 *A un certain moment, le quiproquo aurait dû normalement cesser. Montrez que Molière l'a prolongé au-delà de la vraisemblance pour produire des effets comiques.*

4 *Valeur comique et utilité de la scène pour l'action de la pièce.*

SCÈNE IV : ÉLISE, MARIANE, FROSINE, HARPAGON, VALÈRE,
    MAÎTRE JACQUES, LE COMMISSAIRE, SON CLERC

HARPAGON / Ah! fille scélérate[1]! fille indigne d'un père comme
moi! c'est ainsi que tu pratiques les leçons que je t'ai don-
nées? Tu te laisses prendre d'amour pour un voleur infâme,
et tu lui engages ta foi[2] sans mon consentement? Mais vous
5 serez trompés[3] l'un et l'autre. (*A Élise*) Quatre bonnes
murailles[4] me répondront de ta conduite; (*A Valère*) et une
bonne potence me fera raison de ton audace.

VALÈRE / Ce ne sera point votre passion[5] qui jugera l'affaire;
et l'on m'écoutera, au moins, avant que de[6] me condamner.

10 HARPAGON / Je me suis abusé de dire[7] une potence, et tu
seras roué[8] tout vif.

ÉLISE, *à genoux devant son père* / Ah! mon père, prenez
des sentiments un peu plus humains, je vous prie, et n'allez
point pousser les choses dans[9] les dernières violences du
15 pouvoir paternel[10]. Ne vous laissez point entraîner aux[11]
premiers mouvements de votre passion, et donnez-vous le
temps de considérer ce que vous voulez faire. Prenez la
peine de mieux voir celui dont vous vous offensez[12]; il est
tout autre que vos yeux ne le jugent; et vous trouverez moins
20 étrange que je me sois donnée à lui lorsque vous saurez que

---

1 *scélérate* : qui a commis un crime (sens étymologique).
2 *tu lui engages ta foi* : tu lui promets ton amour.
3 *vous serez trompés* : votre espoir sera déjoué.
4 Harpagon menace Élise de l'enfermer dans un couvent,
   comme un père de famille en avait alors le droit.
5 *passion* : colère, emportement.
6 *avant que de*, suivi d'un infinitif, était courant à l'époque
   (au lieu de : avant de).
7 *de dire* : en disant.
8 *roué* : puni du supplice de la roue (on brisait les membres
   du criminel exposé sur une roue).
9 *dans* : jusqu'à.
10 *du pouvoir paternel* : auxquelles le pouvoir paternel vous
   permet d'aller (enfermer une fille dans un couvent).
11 *aux premiers* : par les premiers.
12 *dont vous vous offensez* : par qui vous vous jugez offensé.

sans lui vous ne m'auriez plus il y a longtemps[13]. Oui, mon
père, c'est celui qui me sauva de ce grand péril que vous
savez que je courus dans l'eau, et à qui vous devez la vie
de cette même fille dont...

25 HARPAGON / Tout cela n'est rien; et il valait bien mieux
pour moi qu'il te laissât noyer[14] que de faire ce qu'il a fait.

ÉLISE / Mon père, je vous conjure, par l'amour paternel,
de me...

HARPAGON / Non, non, je ne veux rien entendre; et il faut
30 que la justice fasse son devoir.

MAÎTRE JACQUES, *à part* / Tu me payeras mes coups de
bâton.

FROSINE / Voici un étrange embarras[15].

SCÈNE V : ANSELME, HARPAGON, ÉLISE, MARIANE, FROSINE,
  VALÈRE, MAÎTRE JACQUES, LE COMMISSAIRE, SON CLERC

ANSELME / Qu'est-ce, seigneur Harpagon? je vous vois tout
ému.

HARPAGON / Ah! seigneur Anselme, vous me voyez le plus
infortuné de tous les hommes, et voici bien du trouble et
5 du désordre au contrat[1] que vous venez faire! On m'assassine[2] dans le bien[3], on m'assassine dans l'honneur[4]; et voilà
un traître, un scélérat, qui a violé tous les droits les plus
saints, qui s'est coulé[5] chez moi sous le titre de domestique[6],
pour me dérober mon argent et pour me suborner ma fille.

---

13 *il y a longtemps :* depuis longtemps.
14 *noyer :* te noyer (le pronom te n'est exprimé qu'une fois).
15 *embarras :* situation embrouillée, dont on a peine à sortir.
1   *au contrat :* dans la cérémonie du contrat (de mariage).
2   *assassine :* se disait, comme on l'a déjà vu, pour « causer
    une douleur mortelle ».
3   *le bien :* en volant mon bien (mon argent).
4   *l'honneur :* en séduisant ma fille.
5   *s'est coulé :* s'est insinué adroitement.
6   *domestique :* ne signifiait pas valet, mais personne attachée
    à la maison (ici, intendant).

10 VALÈRE / Qui songe à votre argent, dont[7] vous me faites un
    galimatias[8] ?

    HARPAGON / Oui, ils se sont donné l'un et l'autre[9] une pro-
    messe de mariage. Cet affront vous regarde, seigneur
    Anselme, et c'est vous qui devez vous rendre partie[10] contre
15 lui, et faire toutes les poursuites de la justice, pour vous
    venger de son insolence.

    ANSELME / Ce n'est pas mon dessein de me faire épouser par
    force, et de rien[11] prétendre à un cœur qui se serait donné ;
    mais pour vos intérêts je suis prêt à les embrasser ainsi que
20 les miens propres.

    HARPAGON / Voilà monsieur qui est un honnête commissaire,
    qui n'oubliera rien, à ce qu'il m'a dit, de la fonction de son
    office. Chargez-le comme il faut, monsieur, et rendez les
    choses bien criminelles.

25 VALÈRE / Je ne vois pas quel crime on me peut faire de la
    passion que j'ai pour votre fille ; et le supplice où[12] vous
    croyez que je puisse[13] être condamné pour notre engagement,
    lorsqu'on saura ce que je suis...

    HARPAGON / Je me moque de tous ces contes ; et le monde
30 aujourd'hui n'est plein que de ces larrons de noblesse[14], que
    de ces imposteurs, qui tirent avantage de leur obscurité, et
    s'habillent insolemment du premier nom illustre qu'ils
    s'avisent de prendre.

    VALÈRE / Sachez que j'ai le cœur trop bon[15] pour me parer
35 de quelque chose qui ne soit point à moi, et que tout Naples
    peut rendre témoignage de ma naissance.

---

7   *dont :* au sujet duquel.
8   *galimatias :* discours embrouillé, où l'on ne comprend rien.
9   *l'un et l'autre :* l'un à l'autre (texte de certaines éditions).
10 *vous rendre partie :* vous porter partie (faire un procès).
11 *rien*, sans négation, signifie quelque chose (sens étymolo-
    gique).
12 *où :* auquel.
13 Ce subjonctif s'explique par le tour négatif du verbe prin-
    cipal : je ne vois pas.
14 *larrons de noblesse :* voleurs de titres de noblesse. Il y en
    avait beaucoup, en effet, et le passage a une valeur satirique.
15 *bon :* fier, haut placé.

ANSELME / Tout beau[16]! prenez garde à ce que vous allez
dire. Vous risquez ici plus que vous ne pensez; et vous parlez
devant un homme à qui tout Naples est connu, et qui peut
40 aisément voir clair dans l'histoire que vous ferez.

VALÈRE, *en mettant fièrement son chapeau*[17] / Je ne suis
point homme à rien craindre, et si Naples vous est connu,
vous savez qui était Dom Thomas d'Alburcy.

ANSELME / Sans doute, je le sais; et peu de gens l'ont connu
45 mieux que moi.

HARPAGON / Je ne me soucie ni de Dom Thomas ni de Dom
Martin[18].

ANSELME / De grâce, laissez-le parler, nous verrons ce qu'il
en veut dire.

50 VALÈRE / Je veux dire que c'est lui qui m'a donné le jour.

ANSELME / Lui?

VALÈRE / Oui.

ANSELME / Allez; vous vous moquez. Cherchez quelque autre
histoire, qui vous puisse mieux réussir, et ne prétendez pas
55 vous sauver sous[19] cette imposture.

VALÈRE / Songez à mieux parler. Ce n'est point une imposture; et je n'avance rien qu'il ne me soit aisé de justifier.

ANSELME / Quoi? vous osez vous dire fils de Dom Thomas
d'Alburcy?

60 VALÈRE / Oui, je l'ose; et je suis prêt de[20] soutenir cette
vérité contre qui que ce soit.

ANSELME / L'audace est merveilleuse. Apprenez, pour vous
confondre, qu'il y a seize ans pour le moins que l'homme

---

16 *tout beau!* doucement, halte-là! expression que l'on trouve
    dans les premières tragédies de Corneille, mais qui, à
    l'époque de Molière, était devenue familière.
17 Il montre, par ce geste, qu'il est gentilhomme.
18 *ni de Dom Thomas ni de Dom Martin.* Harpagon, dans un
    mouvement d'humeur, feint de ne pas comprendre et de
    croire qu'il s'agit de moines bénédictins; car il est d'usage de
    faire précéder leur nom de dom. En réalité le personnage
    dont parle Valère est un noble, d'origine espagnole, qui
    a droit au titre de don (dom en portugais).
19 *sous :* à l'abri de, en vous couvrant de.
20 *prêt de :* prêt à (on confondait alors prêt à et près de).

dont vous nous parlez périt sur mer avec ses enfants et sa
65 femme, en voulant[21] dérober leur vie aux cruelles persécu-
tions qui ont accompagné les désordres de Naples[22], et qui
en firent exiler plusieurs nobles familles.

VALÈRE / Oui; mais apprenez, pour vous confondre, vous,
que son fils, âgé de sept ans, avec un domestique, fut sauvé
70 de ce naufrage par un vaisseau espagnol, et que ce fils sauvé
est celui qui vous parle; apprenez que le capitaine de ce
vaisseau, touché de ma fortune[23], prit amitié[24] pour moi,
qu'il me fit élever comme son propre fils, et que les armes
furent mon emploi dès que je m'en trouvai capable; que
75 j'ai su depuis peu que mon père n'était point mort, comme
je l'avais toujours cru; que passant[25] ici pour l'aller chercher,
une aventure, par le Ciel concertée, me fit voir la charmante[26]
Élise; que cette vue me rendit esclave de ses beautés; et
que la violence de mon amour, et les sévérités de son père,
80 me firent prendre la résolution de m'introduire dans son
logis, et d'envoyer un autre à la quête[27] de mes parents.

ANSELME / Mais quels témoignages encore, autres que vos
paroles, nous peuvent assurer que ce ne soit[28] point une
fable que vous ayez bâtie sur une vérité?

85 VALÈRE / Le capitaine espagnol; un cachet de rubis qui était
à mon père; un bracelet d'agate que ma mère m'avait mis
au bras; le vieux Pedro, ce domestique qui se sauva avec
moi du naufrage.

---

21 *en voulant* : tandis qu'ils voulaient.
22 Il y a eu en effet plusieurs révolutions à Naples. Molière
peut faire allusion ici à celle de Masaniello (1647-1648),
qui a persécuté des familles nobles. Si Valère avait eu
sept ans alors, il aurait vingt-sept ans au moment de la
pièce (1668), ce qui est plausible.
23 *fortune* : sort (sens étymologique).
24 *prit amitié* : se prit d'affection.
25 *passant* : comme je passais.
26 *charmante* : le mot avait un sens beaucoup plus fort qu'aujourd'hui.
27 *la quête* : la recherche.
28 *que ce ne soit* : au subjonctif parce que la proposition
principale est interrogative.

MARIANE / Hélas! à vos paroles je puis ici répondre, moi,
90 que vous n'imposez point[29]; et tout ce que vous dites me
fait connaître clairement que vous êtes mon frère.

VALÈRE / Vous ma sœur?

MARIANE / Oui. Mon cœur s'est ému dès le moment que[30]
vous avez ouvert la bouche; et notre mère, que vous allez
95 ravir[31], m'a mille fois entretenue des disgrâces[32] de notre
famille. Le Ciel ne nous fit point aussi[33] périr dans ce triste
naufrage; mais il ne nous sauva la vie que par la perte de
notre liberté; et ce furent des corsaires qui nous recueillirent,
ma mère et moi, sur un débris de notre vaisseau. Après
100 dix ans d'esclavage, une heureuse fortune[34] nous rendit
notre liberté, et nous retournâmes dans Naples, où nous
trouvâmes tout notre bien vendu, sans y pouvoir trouver
des nouvelles de notre père. Nous passâmes à Gênes, où
ma mère alla ramasser quelques malheureux restes d'une
105 succession qu'on avait déchirée[35]; et de là, fuyant la barbare
injustice de ses parents, elle vint en ces lieux, où elle n'a
presque vécu que d'une vie languissante.

ANSELME / O Ciel! quels sont les traits de ta puissance! et
que tu fais bien voir qu'il n'appartient qu'à toi de faire des
110 miracles! Embrassez-moi, mes enfants, et mêlez tous deux
vos transports à ceux de votre père.

VALÈRE / Vous êtes notre père?

MARIANE / C'est vous que ma mère a tant pleuré?

ANSELME / Oui, ma fille, oui, mon fils, je suis Dom Thomas
115 d'Alburcy, que le Ciel garantit des ondes avec tout l'argent
qu'il portait, et qui vous ayant tous crus morts durant plus
de seize ans, se préparait, après de longs voyages, à chercher
dans l'hymen d'une douce et sage personne la consolation

---

29 *que vous n'imposez point :* que vous ne dites pas un men-
songe.

30 *dès le moment que :* dès le moment où.

31 *ravir :* remplir de joie.

32 *disgrâces :* malheurs.

33 *aussi :* non plus.

34 *heureuse fortune :* heureux sort, chance (sens étymologique).

35 *déchirée :* dispersée, pillée.

de quelque nouvelle famille. Le peu de sûreté que j'ai vu
120 pour ma vie à retourner[36] à Naples m'a fait y renoncer pour
toujours; et ayant su trouver moyen d'y faire vendre ce que
j'avais, je me suis habitué[37] ici, où, sous le nom d'Anselme,
j'ai voulu m'éloigner[38] les chagrins de cet autre nom qui
m'a causé tant de traverses[39].

HARPAGON / C'est là votre fils?
125
ANSELME / Oui.

HARPAGON / Je vous prends à partie[40], pour me payer dix
mille écus qu'il m'a volés.

ANSELME / Lui, vous avoir volé?

HARPAGON / Lui-même.
130
VALÈRE / Qui vous dit cela?

HARPAGON / Maître Jacques.

VALÈRE / C'est toi qui le dis?

MAÎTRE JACQUES / Vous voyez que je ne dis rien.

HARPAGON / Oui : voilà monsieur le Commissaire qui a reçu
135
sa déposition.

VALÈRE / Pouvez-vous me croire capable d'une action si
lâche?

HARPAGON / Capable ou non capable, je veux ravoir mon
140 argent.

SCÈNE VI : CLÉANTE, VALÈRE, MARIANE, ÉLISE,
FROSINE, HARPAGON, ANSELME, MAÎTRE JACQUES,
LA FLÈCHE, LE COMMISSAIRE, SON CLERC

CLÉANTE / Ne vous tourmentez point, mon père, et n'accusez
personne. J'ai découvert des nouvelles de votre affaire, et
je viens ici pour vous dire que, si vous voulez vous résoudre
à me laisser épouser Mariane, votre argent vous sera rendu.

---

36 *à retourner :* si je retournais.
37 *je me suis habitué ici :* je me suis fixé dans cette ville.
38 *m'éloigner :* éloigner de moi.
39 *tant de traverses :* tant de malheurs.
40 *je vous prends à partie :* je vous intente un procès.

5 HARPAGON / Où est-il?

CLÉANTE / Ne vous en mettez point en peine : il est en lieu[1] dont je réponds, et tout ne dépend que de moi. C'est à vous de me dire à quoi vous vous déterminez; et vous pouvez choisir, ou de me donner Mariane, ou de perdre votre cassette.

10 HARPAGON / N'en a-t-on rien ôté?

CLÉANTE / Rien du tout. Voyez si c'est votre dessein de sous-crire à ce mariage, et de joindre votre consentement à celui de sa mère, qui lui laisse la liberté de faire un choix entre nous deux.

15 MARIANE / Mais vous ne savez pas que ce n'est pas assez que ce consentement, et que le Ciel, avec un frère que vous voyez, vient de me rendre un père dont vous avez à m'obtenir.

ANSELME / Le Ciel, mes enfants, ne me redonne point à vous pour être contraire à vos vœux. Seigneur Harpagon, vous

20 jugez bien que le choix d'une jeune personne tombera sur le fils plutôt que sur le père. Allons, ne vous faites point dire ce qu'il n'est pas nécessaire d'entendre[2], et consentez ainsi que moi à ce double hyménée[3].

HARPAGON / Il faut, pour me donner conseil, que je voie ma

25 cassette.

CLÉANTE / Vous la verrez saine et entière.

HARPAGON / Je n'ai point d'argent à donner en mariage à mes enfants.

ANSELME / Hé bien! j'en ai pour eux; que cela ne vous

30 inquiète point.

HARPAGON / Vous obligerez-vous à faire tous les frais de ces deux mariages?

ANSELME / Oui, je m'y oblige : êtes-vous satisfait?

HARPAGON / Oui, pourvu que pour les noces vous me fassiez

35 faire un habit.

ANSELME / D'accord. Allons jouir de l'allégresse que cet heureux jour nous présente.

---

1 *en lieu :* en un lieu.
2 *ce qu'il n'est pas nécessaire d'entendre :* ce qu'il vous déplai-rait d'entendre, à savoir qu'un vieillard ne peut l'emporter sur un jeune homme dans le cœur d'une jeune fille.
3 *hyménée :* mariage (style poétique).

LE COMMISSAIRE / Holà! messieurs, holà! tout doucement, s'il vous plaît : qui me payera mes écritures[4]?

40 HARPAGON / Nous n'avons que faire de vos écritures.

LE COMMISSAIRE / Oui! mais je ne prétends pas, moi, les avoir faites pour rien.

HARPAGON / Pour votre payement (*Montrant maître Jacques*), voilà un homme que je vous donne à pendre[5].

45 MAÎTRE JACQUES / Hélas! comment faut-il donc faire?. On me donne des coups de bâton pour[6] dire vrai, et on me veut pendre pour mentir.

ANSELME / Seigneur Harpagon, il faut lui pardonner cette imposture.

50 HARPAGON / Vous payerez donc le Commissaire?

ANSELME / Soit. Allons vite faire part de notre joie à votre mère.

HARPAGON / Et moi, voir ma chère cassette.

---

4 *mes écritures* : les dépositions d'Harpagon et de maître Jacques et l'interrogatoire de Valère.

5 *à pendre* : c'est une boutade, le mot est un peu gros. Mais maître Jacques s'est tout de même rendu coupable de faux témoignage.

6 *pour* : sens causal (parce que je dis la vérité).

QUESTIONS en vue de l'explication des scènes 5 et 6 :

1 *Montrez que les deux intrigues amoureuses de la pièce trouvent dans ces deux scènes un dénouement fort inattendu.*

2 *A-t-on eu raison de reprocher à Molière d'avoir donné à la pièce un dénouement romanesque et invraisemblable?*

3 *Que pensez-vous, au point de vue moral, de la manière d'agir de Cléante envers son père? Molière n'a-t-il pas pris soin, dans une scène précédente (acte V, scène 4), d'atténuer ce que ce procédé pourrait avoir de choquant?*

4 *S'il est vrai que L'Avare est une comédie d'intrigue et une comédie de caractère, quel est le dénouement de cette dernière? Commentez le dernier mot de la pièce.*

Documents

1 Scènes de l' « Aulularia » de Plaute

1 La méfiance de l'avare.

[MOLIÈRE : *L'Avare*, I, III.]

Euclion soupçonne l'esclave Strobile de l'avoir volé.

EUCLION   Allons, dehors, ver de terre, qui viens ramper hors de ton trou. On ne te voyait pas tout à l'heure; mais puisque tu t'es montré, tu es mort. Pardieu, je t'arrangerai de la belle manière, rusé coquin!

STROBILE   Quelle folie te tourmente? Qu'ai-je à faire avec toi, vieillard? Pourquoi me bouscules-tu? Pourquoi me tirailles-tu? Pour quelle raison me frappes-tu?

EUCLION   Rossard, tu me le demandes! Voleur, que dis-je? Triple voleur!

STROBILE   Qu'est-ce que je t'ai pris?

EUCLION   Rends-le-moi, et vite.

STROBILE   Que veux-tu que je te rende?

EUCLION   Tu le demandes?

STROBILE   Je ne t'ai rien pris à toi.

. . . .

EUCLION   Montre-moi tes mains.

STROBILE   Tiens, je te les montre; les voici.

EUCLION   Bon, je vois. Maintenant, montre-moi la troisième.

STROBILE   Mauvais esprits, humeurs noires, accès de folie : tout s'en mêle pour lui tourner la tête. Est-ce justice d'agir envers moi comme tu le fais?

EUCLION   Non, ma foi, non! car j'aurais dû t'envoyer à la potence. Mais tu iras bientôt, si tu n'avoues pas.

STROBILE   Avouer? mais quoi?

EUCLION   Qu'as-tu emporté d'ici?

STROBILE   Les dieux m'anéantissent si je t'ai dérobé quelque chose... (*A part*) comme je l'aurais voulu.

EUCLION   Allons, vite, secoue-moi ton manteau.

STROBILE   A ta guise.

. . . .

EUCLION   Tu n'aurais rien sous ta tunique?... Montre-moi ta main droite.

STROBILE Tiens.

EUCLION Ta gauche, maintenant.

STROBILE Tiens, les voilà toutes les deux. Es-tu content?

EUCLION C'est bon, je renonce à te fouiller. Rends-le-moi.

STROBILE Te rendre quoi?

EUCLION Pas de plaisanteries! Sûrement tu l'as.

STROBILE Je l'ai, moi? Qu'est-ce que j'ai?

EUCLION Je ne le dirai pas : tu voudrais bien me l'entendre dire. Quoi que ce soit, rends-le-moi; c'est mon bien.

. . . .

Après tout, je l'ai fouillé partout, il n'a rien. Va, tu es libre.

STROBILE Que Jupiter et tous les dieux t'anéantissent!

EUCLION Pas mal, comme remerciement... Allons, hors de mes yeux. T'en vas-tu, oui ou non?

STROBILE Je m'en vais.

EUCLION Et que je ne te revoie plus, tu m'entends?

> *Aulularia*, acte IV, scène IV, trad. Ernout.
> Les Belles-Lettres, édit.

2. Le monologue de l'avare volé.

[Scène du vol : MOLIÈRE, *L'Avare*, IV, VII.]

Euclion s'est aperçu du vol de la marmite pleine d'or.

EUCLION Je suis perdu! je suis mort! je suis assassiné! Où courir? Où ne pas courir? arrêtez-le, arrêtez-le! Mais qui? Et qui l'arrêtera? Je ne sais, je ne vois rien, je vais en aveugle... Où vais-je, où suis-je, que suis-je, je ne sais plus, j'ai la tête perdue... Par pitié vous autres, je vous en prie, je vous en supplie, venez à mon secours : indiquez-moi l'homme qui me l'a ravie... Que dis-tu, toi? Je veux t'en croire, tu as la figure d'un honnête homme. Qu'y a-t-il? Pourquoi riez-vous? Je vous connais tous. Je sais que les voleurs sont légion parmi vous.

. . . .

Hein, quoi? Personne ne l'a vu? Tu m'assassines. Dis-moi, voyons : qui l'a? Tu ne sais pas? Ah! pauvre, pauvre malheureux! Je suis mort. C'en est fait, je suis un homme perdu, au plus mal arrangé, tant cette fatale journée m'apporte de larmes, de maux, de chagrins, sans compter la faim et la pauvreté... Perdu, ah oui, je le suis bien, et plus qu'aucun homme au monde. Que me sert de vivre à présent que j'ai perdu tout cet or que je gardais avec tant de soin? Je me privais du néces-saire, me refusant toute joie, tout plaisir : et maintenant d'autres en profitent, et se gaussent de mon malheur et de ma ruine... Non, je n'y résisterai pas.   *Aulularia*, acte IV, scène IX, trad. Ernout.

3 Le quiproquo de la cassette.

[MOLIÈRE, *L'Avare*, V, III.]

*Lyconide aime Phédra, la fille d'Euclion, qu'il a enlevée. Dans cette
scène, Lyconide parle de la jeune fille, Euclion de la marmite.*

LYCONIDE Le méfait qui te cause tant de peine, c'est moi qui l'ai
commis : je l'avoue.

EUCLION Que me dis-tu là ?

LYCONIDE La vérité.

EUCLION Quel mal t'ai-je donc fait, jeune homme, pour agir ainsi
envers moi, et pour t'en aller me perdre, moi et mes enfants ?

LYCONIDE C'est un dieu qui m'a poussé et m'a entraîné vers elle.

EUCLION Comment ?

LYCONIDE J'ai eu tort, je l'avoue; je suis coupable, je le sais. Aussi
suis-je venu te prier de vouloir bien m'accorder ton pardon.

EUCLION Comment as-tu eu l'audace de toucher à ce qui ne t'appar-
tenait pas ?

LYCONIDE Que veux-tu, le mal est fait. Impossible d'y rien changer...
C'est la faute du vin, de l'amour.

. . . .

EUCLION Je n'aime pas ces gens qui s'excusent après avoir mal fait.
Tu savais bien qu'elle n'était pas à toi. Il ne fallait pas y toucher.

LYCONIDE Eh bien, puisque j'ai osé y porter la main, je ne chicane
point et je ne demande qu'à la garder, de préférence à toute autre.

EUCLION La garder, malgré moi, quand elle est à moi ?

LYCONIDE Je ne prétends pas l'avoir malgré toi; mais j'estime qu'elle
doit me revenir. D'ailleurs toi-même, Euclion, tu reconnaîtras dans
un instant qu'il faut qu'elle soit à moi.

EUCLION Et moi dans un instant, morbleu, je vais te traîner devant le
préteur, et te faire un procès si tu ne me rends...

LYCONIDE Si je ne te rends ?

EUCLION Le bien que tu m'as volé.

LYCONIDE Moi, j'ai volé ton bien ? Où donc ? Que veux-tu dire ?

EUCLION, *ironiquement* Que Jupiter te protège, aussi vrai que tu
l'ignores !

LYCONIDE A moins que tu ne me dises toi-même ce que tu réclames.

EUCLION Ma marmite pleine d'or, dis-je, voilà ce que je te réclame;
celle que tu m'as dérobée, de ton propre aveu.

LYCONIDE Moi ? Je n'ai rien dit ni fait de semblable...

    ... Tu es fou de me traiter de voleur. Je pensais, Euclion, que c'était
d'une autre affaire que tu étais instruit, et qui me concerne. C'est une

chose importante, et dont je voudrais t'entretenir à loisir, si tu es de loisir.

EUCLION   Dis-moi, sur ta foi : ce n'est pas toi qui m'as pris mon or ?

LYCONIDE   Non ; sur ma foi.

Aululeria, acte IV, scène x, trad. Ernout.

2 Extraits de « La Belle Plaideuse », de Boisrobert

1 Le valet Filipin rend compte à son maître Ergaste de négociations entamées avec un usurier.

[MOLIÈRE : *L'Avare*, acte II, scène I.]

FILIPIN

Milon à l'usurier vient de tâter le pouls ;
Si vous n'avez argent, il ne tiendra qu'à vous.
Mais...

ERGASTE

                    Quoi, mais ? Ne fais point ici de préambule :
Parle.

FILIPIN

          Mais l'usurier me paraît ridicule.

ERGASTE

Comment ?

FILIPIN

                    A votre père il ferait des leçons.
Têtebleu ! qu'il en sait, et qu'il fait de façons !
C'est le fesse-mathieu le plus franc que je sache.
J'ai pensé lui donner deux fois sur la moustache.
Il veut bien vous fournir les quinze mille francs ;
Mais, monsieur, les deniers ne sont pas tous comptants.
Admirez le caprice injuste de cet homme :
Encor qu'au denier douze il prête cette somme
Sur bonne caution, il n'a que mille écus
Qu'il donne argent comptant.

ERGASTE

                                        Où donc est le surplus ?

FILIPIN

Je ne sais si je puis vous le conter sans rire.
Il dit que du cap Vert il lui vient un navire,
Et fournit le surplus de la somme en guenons
Et fort beaux perroquets, en douze gros canons,
Moitié fer moitié fonte, et qu'on vend à la livre.
Si vous voulez ainsi la somme, on vous la livre.

(Acte IV, scène II.)

2 **Le notaire Barquet vient de mettre inopinément en présence le père, Amidor, et le fils, Ergaste.**

[MOLIÈRE : *L'Avare*, acte II, scène II.]

ERGASTE

Quoi? C'est là celui qui fait le prêt?

BARQUET

Oui, monsieur.

AMIDOR

        Quoi? c'est là ce payeur d'intérêt?
Quoi? C'est donc toi, méchant filou, traîne-potence?
C'est en vain que ton œil évite ma présence :
Je t'ai vu.

ERGASTE

        Qui doit être enfin le plus honteux,
Mon père, et qui paraît le plus sot de nous deux?

FILIPIN

Nous voilà bien chanceux!

BARQUET

        La bizarre aventure!

ERGASTE

Quoi? jusques à son sang étendre son usure!

BARQUET

Laissons-les.

AMIDOR

        Débauché, traître, infâme, vaurien,
Je me retranche tout pour t'acquérir du bien,
J'épargne, je ménage; et mon fonds, que j'augmente,
Tous les ans, tout au moins de mille francs de rente,
N'est que pour t'élever sur ta condition.
Mais tu secondes mal ma bonne intention.
Je prends pour un ingrat un soin fort inutile :
Il dissipe en un jour plus qu'on n'épargne en mille,
Et par son imprudence et par sa lâcheté
Détruit le doux espoir dont je m'étais flatté!

ERGASTE

A quoi diable me sert une épargne si folle,
Si ce qu'on prête ailleurs je sens qu'on me le vole,
Moi qui vis misérable et n'ai pas de crédit,
Pour un pauvre repas ni pour un pauvre habit?

                          (Acte I, scène VIII.)

Jugements

« Molière a outré les caractères : il a voulu, par cette liberté, plaire au parterre, frapper les spectateurs les moins délicats, et rendre le ridicule plus sensible. Mais quoiqu'on doive marquer chaque passion dans son plus fort degré et par ses traits les plus vifs, pour en mieux montrer l'excès, la difformité, on n'a pas besoin de forcer la nature et d'abandonner le vraisemblable. Ainsi, malgré l'exemple de Plaute, où nous lisons *Cedo tertiam*, je soutiens, contre Molière, qu'un avare qui n'est point fou ne va jamais jusqu'à vouloir regarder dans la troisième main de l'homme qu'il soupçonne de l'avoir volé.

. . . .

En pensant bien, il (Molière) parle souvent mal; il se sert des phrases les plus forcées et les moins naturelles... J'aime bien mieux sa prose que ses vers. Par exemple, *L'Avare* est moins mal écrit que les pièces qui sont en vers. »

Fénelon,
Lettre sur les occupations de l'Académie française (chap. VII), 1716.

« Je conviendrai sans doute que Molière est inégal dans ses vers, mais je ne conviendrai pas qu'il ait choisi des personnages et des sujets trop bas. Les ridicules fins et déliés ne sont agréables que pour un petit nombre d'esprits déliés : il faut au public des traits plus marqués. De plus, ces ridicules si délicats ne peuvent guère fournir des personnages de théâtre : un défaut presque imperceptible n'est guère plaisant. Il faut des ridicules forts, des impertinences dans lesquelles il entre de la passion, qui soient propres à l'intrigue. »

Voltaire, *Correspondance*, 1745.

« C'est un grand vice d'être avare et de prêter à usure; mais n'en est-ce pas un plus grand encore à un fils de voler son père, de lui manquer de respect, de lui faire mille insultants reproches et, quand ce père irrité lui donne sa malédiction, de répondre, d'un air goguenard, qu'il n'a que faire de ses dons? Si la plaisanterie est excellente, en est-elle moins punissable? et la pièce où l'on fait aimer le fils insolent qui l'a faite en est-elle moins une école de mauvaises mœurs? »

J.-J. Rousseau,
Lettre à d'Alembert sur les spectacles, 1758.

« *L'Avare* est une de ses pièces (de Molière) où il y a le plus d'intentions et d'effets comiques... Le seul défaut de la pièce est de·finir par un roman postiche... Mais, à cette faute près, quoi de mieux conçu que *L'Avare* ? L'amour même ne le rend pas libéral, et la flatterie la mieux adaptée à un vieillard amoureux n'en peut rien arracher. »

La Harpe,
Lycée ou Cours de littérature ancienne et moderne, 1799.

XIXe SIÈCLE

« Entre toutes les pièces de Molière, *L'Avare*, dans lequel le vice détruit toute la piété qui unit le père et le fils, a une grandeur extraordinaire et est à un haut degré tragique. »

Goethe, *Conversations avec Eckermann*, 1825.

« Molière, dans *L'Avare*, n'a pas entendu le moins du monde nous donner Cléante pour un fils vertueux que nous devons approuver aux dépens de son père; il a voulu seulement opposer l'avarice à la prodigalité, parce que ce sont les deux vices qui, contrastant le plus l'un avec l'autre, peuvent, par cela même, se choquer et se punir le plus efficacement. »

Saint-Marc Girardin,
Cours de littérature dramatique, t. I, 1843.

« *L'Avare* est peut-être la pièce où l'élément universel est le plus dégagé : Harpagon est le plus abstrait des caractères de Molière : il est l'avare en soi; l'usurier du XVIIe siècle n'apparaît qu'à une minutieuse étude. C'est que le vice d'Harpagon se prêtait à cette expression abstraite, et la tradition littéraire depuis des siècles préparait le type classique, universel, de l'avare : l'avare qui enterre son or. Ce type contredisait le portrait contemporain, et lui barrait la route. »

Gustave Lanson,
Histoire de la littérature française, Hachette, 1894.

XXe SIÈCLE

« *L'Avare* n'est absolument pas tragique. [...] Quand Sarcey trouve que la pièce est « morose et chagrine », que « l'impression n'est point de gaieté franche », il se trompe, et son erreur vient de ce qu'il n'a pas vu exactement le personnage d'Harpagon.
[...] Ce vieillard, physiquement épuisé, moralement traqué, est un bouffon. Bouffon devant Mariane, bouffon dans ses pauvres colères, bouffon dans sa naïveté lorsqu'il boit les flatteries de Frosine. Ce tyran est seulement ridicule. Il est au plus haut point comique, et dès lors, il devient impossible de prétendre que *L'Avare* doit son caractère de comédie aux seuls *lazzi* qui viennent se superposer à l'intrigue de fond. »

Antoine Adam,
La littérature française au XVIIe siècle (tome III), Del Duca, 1952.

Lecture thématique de L'Avare

Une fois la lecture et l'explication du texte terminées ou une fois le rideau tombé (car nous n'oublions pas qu'il s'agit d'une pièce de théâtre destinée à la représentation et non seulement à la lecture), il peut être intéressant, agréable même, d'en faire une deuxième lecture ou du moins de repasser dans notre esprit le plaisir que nous en avons tiré, les idées que la pièce nous a suggérées, les enseignements qu'elle nous a fournis. C'est ce qu'on peut appeler : lecture thématique de *L'Avare*. Car il s'agit d'une œuvre très riche, dont nous aurons plaisir maintenant à extraire la substance et à goûter la saveur. Malgré son titre, le sujet n'en est pas seulement la peinture de l'avarice, et plusieurs autres aspects se présentent à notre regard, maintenant que nous connaissons bien le texte.

1 Deux histoires d'amour

D'abord la pièce comporte une intrigue, avec un début, un milieu et une fin : ou plutôt en termes de théâtre : une exposition, des péripéties et un dénouement. Deux histoires d'amour se déroulent parallèlement avec quatre personnages, jeunes et charmants, chacun ayant sa personnalité et son caractère propre. C'est l'histoire de Valère et d'Élise, de Cléante et de Mariane.
Ces deux couples d'amoureux qui aspirent au bonheur n'y parviendront qu'à travers de nombreuses difficultés, certes : autrement il n'y aurait pas d'histoire! Valère, au moment où nous faisons sa connaissance au début de la pièce, a déjà vécu bien des aventures; on ne les connaîtra que tout à fait à la fin : une révolution à Naples où habitaient ses parents, un exil, un naufrage. Séparé des siens à l'âge de sept ans, il a été recueilli par charité, s'est élevé à force de volonté et de courage et a exercé la profession des armes, la seule digne d'un gentilhomme au XVIIe siècle. Devenu amoureux d'Élise, pour mieux lui faire la cour il est entré au service de son père, sous un nom déguisé et a même eu l'occasion de sauver la vie de celle qu'il aime à un moment où elle allait périr noyée. Les vicissitudes de l'existence ont un peu durci le caractère de Valère, mais il semble que son amour n'en soit que plus profond et plus grave.
Quant à Élise, c'est une bien charmante jeune fille. Ayant perdu sa mère et vivant avec un père sévère au cœur sec, elle a trouvé auprès de Valère l'affection qui lui manquait. Cédant à son inclination, elle lui a même signé une promesse de mariage à l'insu de son père. Mais c'est une jeune fille très droite, très honnête, et son cœur est partagé entre la joie que lui donne l'amour de Valère et les remords qu'elle

éprouve à tromper son père, à ne pas le respecter suffisamment, quoiqu'il soit parfois bien peu respectable. Cependant elle lui résiste avec l'énergie du désespoir lorsqu'il parle de la marier sans dot à un riche vieillard. Ce mélange d'audace et de timidité, de candeur et de ruse fait le charme du personnage. Et elle est bien touchante, au dernier acte, quand, son intrigue avec Valère découverte, elle supplie son père à genoux sans réussir à l'émouvoir.

L'autre histoire d'amour est celle de Cléante et de Mariane. Cléante, qui ne ressemble pas du tout à son père, est un beau jeune homme, ardent et passionné, pressé de jouir des plaisirs de la vie. Il a fait la connaissance de Mariane, une jeune fille pauvre et modeste, dont il est devenu passionnément amoureux. Mais que de traverses à l'accomplissement de son bonheur! Car à cette époque le père de famille était tout-puissant. Or Harpagon veut marier son fils à une riche veuve. Et, comble de malchance, Harpagon, qui a rencontré Mariane par hasard, s'est mis en tête de l'épouser. La malheureuse jeune fille, pour venir en aide à sa mère qui vit de maigres ressources, a fini par accepter, bien à contrecœur, l'idée d'épouser un riche vieillard. Mais quel n'est pas son désespoir lorsqu'elle découvre que le beau jeune homme qui lui fait la cour et qu'elle aime est justement le fils de ce riche vieillard : situation tragique, qui ne se dénouera que tout à fait à la fin, lorsque Mariane retrouvera en Anselme son père Dom Thomas d'Alburcy et en Valère son frère.

Ces deux histoires d'amour, qui se déroulent parallèlement tout au long de la pièce, sont émouvantes l'une et l'autre, et elles finissent bien, car il s'agit d'une comédie. Elles ne sont pas absolument invraisemblables; même les aventures de Valère et de ses parents, à une telle époque, ne manquent pas de crédibilité; et les propos des personnages, leur comportement sont bien conformes à leur caractère, tel qu'il nous apparaît dès le début. Cette double intrigue est en tout cas intéressante et constitue un des aspects, un des thèmes importants de la pièce sur le plan dramatique.

2 Un tableau de la bourgeoisie au XVIIe siècle

Harpagon, dans la pièce, a beaucoup de réalité, de « présence », comme dirait un homme de théâtre, et le milieu dans lequel il vit nous est montré d'une façon très concrète.

Dans la plupart des grandes œuvres classiques, ce sont souvent des princes, de grands personnages ou en tout cas des nobles qui sont mis en scène. Avec Molière nous pénétrons dans le milieu des bourgeois et nous les regardons vivre.

C'est une bourgeoisie aisée que celle de Monsieur Jourdain dans *Le Bourgeois gentilhomme*, d'Argan dans *Le Malade imaginaire*.

Monsieur Jourdain, fils de marchands forains, est un nouveau riche, ce qui explique à la fois sa candeur et sa vanité.

Harpagon, lui, doit appartenir à une famille beaucoup plus riche, et plus anciennement riche, qui lui a légué une passion dépravée pour l'argent. Au moment où se déroulent les événements de la pièce, il a encore un intendant et cinq domestiques ; or, ayant décidé par avarice que son cuisinier serait en même temps son cocher, il semble bien avoir réduit de moitié un train de maison qui devait être considérable. De la part du metteur en scène, ce serait une erreur de montrer chez Harpagon un mobilier pauvre ; il faut l'entourer au contraire d'un ameublement cossu, mais dont l'entretien donne l'impression d'avoir été un peu négligé. Autour de lui s'agite toute une population pittoresque qui constitue sa « maison ». Ce sont les domestiques, parmi lesquels le plus intéressant est certainement Maître Jacques, le cuisinier-cocher. Il aime son maître, à sa façon, bien que parfois battu par lui, comme c'était l'usage, mais il a son franc-parler. Par lui nous sommes informés de ce que comportait un repas, du moins un repas de cérémonie, au XVII⁰ siècle dans un milieu de bourgeois aisés. Nous comprenons alors que le repas ridicule décrit par Boileau dans la *Satire III* n'est pas ridicule, comme on pourrait le croire, par la surabondance des mets, mais au contraire par leur insuffisance, autant que par la mauvaise qualité de la cuisine. Ces repas énormes, qui nous étonnent aujourd'hui, étaient de règle à l'époque, avec leur premier service comportant quatre « potages », dont un seul constituerait presque un repas complet aujourd'hui (par exemple : potage de perdrix au chou), quatre entrées, puis un deuxième service, le rôt, qui était un entassement, invraisemblable à nos yeux, de viandes rôties accompagnées de légumes. Et la simple collation offerte à Mariane, avec « quelques bassins d'oranges de Chine, de citrons doux et de confitures », n'avait rien non plus d'extraordinaire pour l'époque.

Les autres valets que nous voyons travailler au service du maître de maison, surtout ce fripon de La Flèche, et Dame Claude, assez estimée pour devenir la confidente des amours de Valère et d'Élise, sont aussi des types caractéristiques de cette société. Nous pensons alors à les comparer aux autres valets et servantes de Molière, comme Nicole du *Bourgeois gentilhomme* ou Toinette du *Malade imaginaire,* qui jouent un rôle si important dans la vie de leurs maîtres.

3   L'autorité du père de famille contestée par ses enfants

Un autre thème est celui de la famille, qui nous permet de pénétrer davantage dans la signification profonde de la pièce. Harpagon est veuf. Aucune présence féminine ne vient atténuer son caractère autoritaire et son égoïsme. Dans *Le Bourgeois gentilhomme,* Madame Jourdain, par son bon sens de petite bourgeoise un peu bornée, s'oppose bien souvent aux extravagances de son mari et limite les conséquences de sa passion vaniteuse. Le cas d'Argan, dans *Le Malade imaginaire*, est un peu différent. Veuf, lui aussi, il a fait la sottise de se remarier, et sa seconde femme, Béline, ambitieuse et fourbe, feint de flatter la manie de son mari pour le mener à sa guise et même, le croyant vraiment malade, elle compte être bientôt débarrassée de lui et recouvrer ainsi sa liberté.

Quant à Harpagon, il est seul et il entend exercer pleinement son autorité. La loi donnait alors au père de famille des droits sans limite. Une fille qui ne voulait pas épouser l'homme que son père lui proposait comme mari n'avait d'autre ressource que d'entrer au couvent. Et les fils, même majeurs, devaient obéir sans discussion à leur père. Mais les enfants d'Harpagon ne l'entendent pas ainsi. Ce sont des contestataires. Chacun d'eux réagit conformément à son caractère. Élise oppose la force d'inertie : « Je ne veux point me marier, mon père, s'il vous plaît ». Quant à Cléante, il est beaucoup plus agressif. Rappelons-nous comment il tient tête à son père ; ne va-t-il pas jusqu'à le traiter de voleur, et quand son père lui dit : « Je te donne ma malédiction », ne répond-il pas « Je n'ai que faire de vos dons »? Bien que dans cette querelle la sympathie du spectateur aille évidemment au jeune homme, il ne faudrait pas croire, comme le prétendait J.-J. Rousseau, que Molière approuve l'attitude du fils à l'égard de son père et veuille le donner en exemple; il a voulu montrer seulement que la désaffection des enfants et leur rébellion étaient la punition de l'avarice et de l'égoïsme.

4 L'avarice

L'avarice a souvent été ridiculisée au théâtre depuis l'Antiquité. Mais il y a une grande différence entre Harpagon et Euclion, l'avare mis en scène dans l'*Aulularia* par Plaute, auquel Molière a emprunté quelques traits (voir p. 126). C'est par occasion qu'Euclion est devenu avare, puisqu'il s'agit d'un homme pauvre qui a découvert un trésor et le tient jalousement caché, tremblant d'être volé, tandis qu'Harpagon est avare par nature. Le seul trait qu'Euclion ait en commun avec Harpagon, c'est que ni l'un ni l'autre ne profite de son argent, n'en jouit vraiment, pour se procurer ce dont il a besoin ou ce qui pourrait lui donner quelque plaisir. On pense à l'avare de la fable qui a enterré son trésor : s'il mettait une pierre à la place, elle lui profiterait tout autant.

Car ce qui caractérise l'avare, c'est qu'il est un égoïste, mais un égoïste qui se nuit à lui-même autant qu'aux autres. « Sa vie est comme une pénitence continuelle », dit La Bruyère, qui ajoute : « Il faut laisser seulement son bien dans les coffres, et se priver de tout. Cela est com-

mode aux vieillards, à qui il faut une passion, parce qu'ils sont hommes. »
Cette passion, une passion dévorante et exclusive, rappelons-nous
comment elle se manifeste chez Harpagon, par quels propos, par
quels gestes, par quels comportements : c'est le thème essentiel de la
pièce. D'abord il se nourrit mal et nourrit mal les personnes de la
maison, les domestiques, et jusqu'aux chevaux qui sont à son service.
Il lésine même lorsqu'il s'agit d'un souper qu'il offre à la fois à la jeune
fille qu'il veut épouser et au Seigneur Anselme à qui il compte marier
sa fille. Il veut réduire les portions : « Quand il y a à manger pour
huit, il y en a bien pour dix. » Il veut que le repas commence par des
mets « dont on ne mange guère et qui rassassient d'abord » et que les
valets offrent aux convives beaucoup d'eau pour couper leur vin.

Il s'arrange en outre pour être en mauvais termes avec ses gens dans
le temps des étrennes, afin d'avoir un prétexte pour ne rien leur donner.
Aussi il faut voir quelle réputation il s'est faite auprès des domestiques,
il faut entendre comment le dépeint La Flèche : « le mortel de tous les
mortels le plus dur et le plus serré. » Quant à Maître Jacques, au risque
de recevoir des coups de bâton — ce qui ne manque pas d'arriver — il
dit tout crûment ses vérités à Harpagon et lui rappelle qu'il a été rossé
par le précédent cocher, qui a feint de le prendre pour un voleur, alors
que c'était le maître lui-même qui venait dérober la nuit l'avoine de ses
chevaux. Et rappelons-nous avec quelle méfiance soupçonneuse Harpagon fouille La Flèche, qui, il est vrai, excite volontairement ses
soupçons pour se moquer de lui. Lui ayant fait retourner ses poches
et n'ayant rien trouvé, Harpagon s'abaisse alors à implorer, d'une voix
suppliante, le valet qu'il menaçait tout à l'heure de ses coups : « Allons,
rends-le-moi sans te fouiller. » Donc humiliation, perte de tout prestige
auprès des inférieurs, oubli du sens de l'honneur, voilà quelles sont pour
Harpagon les conséquences de son avarice.

Plus grave peut-être encore est la perte de l'affection et du respect
de ses enfants. Nous avons vu comment Élise lui résiste tout en lui
faisant la révérence. Quant à Cléante, les répliques qu'il lui adresse
sont des plus blessantes, à une époque surtout où le père de famille
voulait être absolument respecté. Mais Harpagon ne semble pas être
très affecté par les paroles de son fils. A la fin d'une scène où il a proprement été traité de voleur par Cléante, il conclut : « Je ne suis pas fâché
de cette aventure. » Cette insensibilité, cette sécheresse du cœur sont
peut-être chez l'avare la plus triste conséquence de cette passion, qui
est une passion exclusive, une idée fixe ; elle ne laisse place dans son
cœur à aucun autre sentiment.

Ce n'est pas seulement lui qui en souffre, c'est surtout son entourage.
Il est terriblement dur pour les pauvres gens dont il fait saisir les biens
quand ils n'ont pu s'acquitter de leurs dettes, grossies par une révol-
tante usure. Cet égoïste ne pense jamais au bonheur des autres, et s'il

s'est mis dans la tête, par une fantaisie sénile, d'épouser une jeune fille, ce n'est certes pas dans le dessein de faire son bonheur. Ce n'est pas un sentiment généreux qu'il éprouve à l'égard de Mariane, c'est un désir de possession tout égoïste. Quant à ses enfants, qui ont une vingtaine d'années, peu soucieux de leurs sentiments, il veut les marier à des personnes âgées, mais riches : que l'on se rappelle le triomphant « sans dot! » qu'il oppose aux timides objections de Valère lorsqu'il s'agit du mariage d'Élise. Plus tard, il ose même dire à sa fille que Valère aurait mieux fait de la laisser se noyer, plutôt que de faire ce qu'il a fait.

Mais chez Molière tout se termine bien, parce que c'est une loi de la comédie. Le même égoïsme intraitable de l'avare, on le retrouvera chez le Père Grandet de Balzac; mais il ne s'agit plus alors d'une comédie, l'auteur se propose la peinture réaliste de la vie telle qu'elle est. Aussi les conséquences de l'avarice de Monsieur Grandet sont-elles beaucoup plus graves : la mort misérable de sa femme; la triste destinée de sa fille Eugénie, obligée par l'avarice de son père à renoncer à l'amour et au bonheur. D'ailleurs Monsieur Grandet lui-même meurt désespéré d'être contraint à quitter les louis d'or si chers à son cœur et de ne pouvoir les emporter dans la tombe. On peut penser finalement que c'est ce désespoir même qui le tue.

Harpagon, lui, n'en meurt pas. Malgré ses exclamations, au moment où il s'aperçoit du vol de sa cassette : « Je suis mort, je suis enterré », personne n'y croit vraiment. On voit bien que son désespoir est en partie joué, puisqu'il s'écrie aussitôt : « N'y a-t-il personne qui veuille me ressusciter? » Un bouffon, en somme, un pantin ridicule, comme Monsieur Jourdain lorsqu'il est fait Mamamouchi, comme Argan lorsqu'il est reçu Docteur par une fausse Faculté. Molière est toujours resté fidèle à la farce, qu'il aimait parce qu'il était un mime et un acteur de génie, et qu'il nous fait aimer. On ne peut donc guère s'apitoyer sur le sort d'Harpagon : bien que son avarice le prive de tous les plaisirs de la vie, on ne peut qu'en rire. Nous sourions de voir finalement comme il est heureux de retrouver sa chère cassette et de la serrer sur son cœur! Rien ne le corrigera jamais, et le vrai dénouement de *L'Avare*, c'est qu'il n'y a pas de dénouement.

Remarques grammaticales

Les pronoms : pronoms personnels.

1. **Ellipse du pronom personnel neutre « le » :** *non ferai* (acte V, scène 3) : je ne le ferai pas. Ce tour, de la langue familière, donne à la dénégation plus de vivacité.

2. **Ellipse du pronom dans un verbe pronominal :** *me voit-on mêler* (acte II, scène 5) : me mêler; *je ferais conscience* (acte III, scène 1) : je me ferais conscience.

3. **Emploi d'un pronom explétif :** *qu'on me l'égorge, qu'on me lui fasse griller les pieds* (acte V, scène 2); *dressez-lui-moi son procès* (acte V, scène 3). Ce pronom indique l'intérêt que la personne qui parle prend à l'action, et donne à la phrase un tour familier.

4. **Place du pronom personnel.** Le pronom accompagnant deux verbes, dont l'un est à l'infinitif, se plaçait souvent avant le premier verbe, au lieu de se placer, comme aujourd'hui, entre les deux verbes. On trouve déjà le tour actuel :
   du blâme qu'on pourra me donner (acte I, scène 1);
   je ne veux point me marier (acte I, scène 4).
   Mais le plus souvent l'ordre est différent :
   dont on m'est venu parler (acte I, scène 4);
   c'est toi qui te veux ruiner (acte II, scène 2);
   je te veux faire juge (acte IV, scène 4);
   il me va faire raison (acte V, scène 4).

5. De même le pronom personnel accompagnant un impératif est placé parfois avant le verbe, et il a alors la forme atone. On trouve le tour actuel :
   montre-moi (acte I, scène 4); mais aussi :
   me dites (acte I, scène 2) : dites-moi.

6. **Les pronoms « il » et « elle » peuvent désigner une personne présente,** sans qu'il y ait là ni incorrection grammaticale ni impolitesse : *aussi bien nous fera-t-il (maître Jacques) ici besoin* (acte III, scène 1); *vous voyez qu'elle (Élise) est grande* (acte III, scène 6).

7. **Les pronoms « en » et « y » peuvent désigner une personne :** *par la demande qu'il en fait faire (de cette personne)* (acte IV, scène 1); *pourvu que j'y trouve quelque bien (chez Mariane)* (acte I, scène 4); *c'est toi qui as promis d'y renoncer (à Mariane)* (acte IV, scène 5).

8. **Les pronoms relatifs « où » et « dont »** sont employés très librement pour : auquel, dans lequel, et : au sujet duquel, etc. Les exemples sont très nombreux : *une reconnaissance où le Ciel m'engage* (acte I, scène 1); *une chose où je te réduirai* (acte I, scène 4);
   une aventure où je ne m'attendais pas (acte III, scène 7);
   votre argent, dont vous me faites un galimatias (acte V, scène 5).

Le verbe.

9. **Constructions de certains verbes,** différentes de l'usage actuel : *je te renonce pour mon fils* (acte IV, scène 5) : je te renie; *la grâce dont je vous sollicite* (acte II, scène 5) : la grâce que je sollicite de vous; *je vous aurais détourné* (acte IV, scène 2) : j'aurais détourné de vous; *il faut bien que vous me dérobiez* (acte I, scène 4) : que vous me dérobiez mon argent;
   une personne que je prétends pour moi (acte IV, scène 3) : à laquelle je prétends.

Emploi des temps et des modes :

10 **L'indicatif peut remplacer le conditionnel,** avec le verbe « devoir » (latinisme) : *ce que je devais faire* (acte III, scène 6) : ce que j'aurais dû faire.

11 **L'indicatif remplace le subjonctif,** après : il suffit que, pour mieux marquer la réalité du fait : *il me suffit que vous l'aimez* (acte I, scène 2) : le fait que vous l'aimez est suffisant à mes yeux.

12 **Le subjonctif remplace l'indicatif,** dans une complétive d'objet régie par : croire ou assurer, si la principale est négative ou interrogative, à cause de la nuance de doute que contient alors la phrase :
je ne vois pas... le supplice où vous croyez que je puisse être condamné (acte V, scène 5);
quels témoignages nous peuvent assurer que ce ne soit point une fable? (acte V, scène 5).

13 **Le conditionnel peut se rencontrer après « si »,** pour marquer le sens potentiel et le distinguer mieux de l'irréel : *si vous auriez de la répugnance à me voir votre belle-mère* (acte III, scène 7) : si vous aviez, le cas échéant...

14 **Le subjonctif imparfait remplace le conditionnel présent** dans une complétive d'objet, après : douter. Il en résulte une faute apparente contre la concordance des temps. C'est le même tour que chez Racine : *Andromaque*, acte I, scène 4 : « *on craint qu'il n'essuyât les larmes de sa mère*»... *Je nedoute point qu'il ne prêtât l'oreille* (acte IV, scène 1) : il prêterait l'oreille, je n'en doute point.

15 Une autre faute apparente contre la concordance des temps s'explique par le sens d'antériorité que l'auteur veut donner à la subordonnée complétive par rapport à la principale : *je n'ai pas même la force de souhaiter que les choses ne fussent pas* (acte I, scène 1) : que les choses ne soient pas arrivées au point où elles sont maintenant (« que les choses ne soient pas » aurait pu laisser croire que le souhait portait sur l'avenir : ne soient pas désormais).

Syntaxe de la phrase :

16 **Le gérondif peut avoir pour sujet une autre personne que** le verbe principal (comme dans La Fontaine, VIII, 11, 19 : « *Vous m'êtes en dormant un peu triste apparu* ») : *que l'on vous surprit une nuit, en venant dérober vous-même l'avoine* (acte III, scène 1) : quand vous veniez dérober; *Mariane n'a-t-elle point pris garde à moi en passant?* (acte II, scène 5) : pendant que je passais.

17 **L'infinitif peut aussi avoir un autre sujet que le verbe principal :** *rends-le-moi sans te fouiller* (acte I, scène 3) : sans que je te fouille; *c'est seulement depuis hier qu'elle a pu se résoudre à nous signer mutuellement une promesse de mariage* (acte V, scène 3) : à ce que nous nous signions.

18 **Pléonasmes :** ne seulement que, pour : ne que ou : seulement : *et ne conserve seulement que ce qu'il faut pour sa dépense* (acte I, scène 4); *qu'il n'en veut seulement qu'à votre manière d'agir* (acte IV, scène 4).

19 **Latinismes :** *vous ne pouvez pas que vous n'ayez raison* (acte I, scène 5) : il est impossible que vous n'ayez pas raison; *il n'est pas que vous ne sachiez* (acte V, scène 2) : il est impossible que vous ne sachiez pas.

20 **Ellipse :** *puis-je former que des souhaits* (acte IV, scène 2) : autre chose que des souhaits.

Lexique

abord (d') : immédiatement, dès le premier instant

accommodé : à son aise, riche

accommoder peut se prendre en mauvaise part, pour signifier : maltraiter, ou de paroles, ou de coups

affaire se dit parfois de la fortune, des biens

affaires (point d') : en aucune façon

aiguillettes : cordons ferrés par les deux bouts ; lacets (particulièrement qui servaient à attacher le haut-de-chausses, c'est-à-dire la culotte, au pourpoint, c'est-à-dire à la veste)

amant : celui qui aime et est aimé; fiancé

amitié peut s'employer dans des cas où nous dirions : affection ou amour ; par exemple « l'amitié paternelle »

amoureux : celui qui aime, sans être payé de retour ; prétendant éconduit

archers : sergents de ville (qui accompagnaient les prévôts, pour les arrestations). On les appelait ainsi traditionnellement, b i e n qu'ils ne fussent plus armés d'arcs, mais de hallebardes ou de carabines

assiettes : entrées servies dans des assiettes, en même temps que les potages (l'ensemble constituant le premier service)

blondins : jeunes élégants, ainsi appelés parce qu'ils portaient des perruques blondes

bonne femme : vieille femme (sans nuance péjorative ni familiarité)

branler : se remuer, bouger

brisées : terme de vénerie (chasse à courre). Marques que laissait un chasseur, au moyen de branches brisées, pour repérer le passage du gibier. Aller sur les brisées de quelqu'un, c'est courir après son gibier

brocard : raillerie, sarcasme

chaleur au sens moral : ardeur, passion, emportement

charger : exagérer, pousser trop loin

chère (au sens étymologique, tête; faire bonne chère : faire bon visage, bon accueil). Se dit des repas qu'on donne à ses hôtes

commerce : relations d'amitié

commettre : confier (sens étymologique)

commettre (se) : s'exposer, prendre des risques

commissaire : personnage délégué par un juge ou un tribunal, pour travailler à l'instruction d'un procès. Ses fonctions étaient analogues à celles de notre juge d'instruction, mais ce n'était pas un magistrat; il achetait sa charge, comme un officier ministériel

confidence peut avoir le sens actuel, mais aussi celui de : confiance. Accommoder ces deux confidences ensemble : obtenir la confiance des deux personnes à la fois

considérable : digne d'être considéré

constitution : placement, en parlant de capitaux

courtier : homme d'affaires, qui s'entremet pour faire des ventes ou des prêts d'argent

curieux : qui se soucie de (sens étymologique)

damoiseau : jeune homme qui fait le beau et cherche à plaire aux dames

denier : monnaie, la douzième partie d'un sol (il y a vingt sols dans un franc). Au denier vingt : vingt deniers rapportant un denier (5 %)

deniers (les) : terme général, pour dire : l'argent

départir (se) : abandonner une prétention, renoncer

dépêche : lettre d'affaires (envoyée par un courrier exprès)

déplaisir : sens très fort : chagrin, tourment

diantre : terme populaire, pour éviter de faire un péché en nommant le diable

domestique : qui appartient à une maison (sens étymologique); terme beaucoup plus large que valet

double : monnaie, qui valait deux deniers

écu : pièce de monnaie en argent, valant trois francs

effets : les biens, la fortune

entendre : comprendre. *Cela s'entend* : évidemment

entremetteur : qui s'entremet entre deux ou plusieurs personnes ayant quelque marché ou négociation (synonyme de courtier)

épargne de bouche : économie de nourriture

épée de chevet : au sens propre, épée que l'on avait la nuit à la tête de son lit, pour se défendre contre une attaque. Par suite, se dit « soit d'un ami prompt à nous servir en toutes occasions, soit d'autres choses qui nous sont familières ». (Furetière)

équipage : l'ensemble des vêtements et de la parure

estomac : poitrine

état : manière, somptueuse, simple ou modeste, dont on s'habille

étonnant : sens très fort : qui frappe comme un coup de tonnerre, foudroyant, terrifiant

façon : manière dont une chose est faite; apparence

factoton (nous disons *factotum*) : homme bon à tout faire

fait : bien, fortune

faquin (d'un mot italien signifiant portefaix) : homme grossier, sans éducation. Mot qu'employaient les gentilshommes pour injurier un valet

fat : sot, sans esprit

feindre à : hésiter à

fesse-mathieu : usurier (qui prête à un taux supérieur au taux légal). Allusion à saint Matthieu, qui était, dit-on, usurier, avant de devenir un apôtre du Christ

feux : amour (style précieux)

flamme : amour (style précieux)

fortune : sort, condition (sens étymologique)

fraise : collerette plissée, que l'on portait autour du cou, au XVIe et au début du XVIIe siècle

gêne : sens très fort : torture, que l'on inflige à un homme soupçonné d'un crime, pour le lui faire avouer

générosité : noblesse de cœur, grandeur d'âme

godelureau : jeune fanfaron, pimpant et coquet, fier de ses succès auprès des femmes

guigner : épier, regarder du coin de l'œil, avec convoitise

habituer (s') : se fixer en un pays, dont on n'est pas originaire

hardes : vêtements, et aussi mobilier (sans nuance péjorative)

haut-de-chausses : culotte

honnêteté : civilité, politesse

impertinent : qui parle ou agit contre le bon sens ou la bienséance; donc extravagant, ou sot (et non pas insolent)

inclination : sentiment amoureux; se dit aussi de la personne aimée

industrie : adresse, ingéniosité (sens étymologique)

ladre : avare. Au sens propre, le mot signifiait lépreux; par suite, insensible à la douleur physique; puis : insensible, au sens moral, qui a le cœur dur

lésine : avarice sordide

leurre : appât, apparence trompeuse, qui peut inciter à faire quelque chose. Au sens propre (terme de fauconnerie), c'était le morceau de cuir rouge, imitant un morceau de chair, que l'on montrait au faucon, pour le faire revenir

livre : monnaie, équivalent au franc

louis (d'or) : pièce d'or, qui valait, en 1668, onze livres

lumière : intelligence. Au pluriel : conseils éclairés

maître juré : se dit du marchand ou de l'artisan qui a droit au privilège d'ouvrir boutique. Le maître juré était élu par ses pairs pour exercer une certaine autorité dans la corporation : donc un maître de premier rang

maîtresse : fiancée (à cause de l'empire qu'elle exerce sur l'homme qui l'aime)

marchander : hésiter, être irrésolu

merveilleux : extraordinaire, surprenant

mouchard : espion (langue familière)

nippes : tout ce qui sert à l'ajustement et à la parure (sans aucun sens péjoratif)

officieux : obligeant, prompt à rendre service

ouverture : premier aveu, première démarche

pardonnez-moi : formule polie, pour contredire celui qui a parlé ou refuser de faire ce qu'il demande

partie : plaideur, adversaire dans un procès. *Prendre à partie* : attaquer en justice *patibulaire* : digne du gibet

péricliter : risquer, courir un danger

pistole (pistole d'or) : pièce étrangère, ayant le même poids que le louis d'or (valeur, en 1668 : onze livres)

poule laitée : homme faible et efféminé

prétendu (avec un nom de parent par alliance) : qui doit devenir, futur. Prétendue belle-mère : celle qui doit devenir la belle-mère

prévenu : préoccupé (qui a l'esprit occupé d'avance)

prévôts (pour prévôts des maréchaux) : officiers royaux chargés de veiller à la sécurité et de poursuivre les malfaiteurs; ce sont les chefs des archers

procureur : délégué, intermédiaire, qui a pouvoir d'agir pour les affaires d'autrui (sens étymologique)

protester : promettre avec serment

question : torture, que l'on inflige à un homme soupçonné d'un crime, pour le lui faire avouer

quête : recherche (mot emprunté au langage de la chasse)

ragoût : assaisonnement, saveur excitante des mets. Par extension : tout ce qui excite les désirs (autres que l'appétit)

régale (ou *régal*) : divertissement, fête que l'on offre à des amis

régaler : bien traiter, fêter

rengrégement : augmentation, accroissement

renoncer (transitif direct) : renier, désavouer

retrancher : borner, réduire

rogatons : produit de la quête, restes de repas qu'on donne aux mendiants. Par suite : objets sans valeur

scandaliser : diffamer, compromettre par un scandale

scandaliser (se) : s'offenser

sécheresse : manque d'argent

siquenille (ou *souquenille*) : vêtements de toile qu'on donne aux valets, pour conserver leurs habits propres

succès : résultat, bon ou mauvais (sens étymologique)

ton : teint (du visage)

tout à l'heure : sur l'heure, immédiatement

train : ensemble des personnes et des choses qui constituent le train de maison d'un seigneur. Genre de vie

traverse : obstacle, empêchement. Malheur

turc : mot employé pour injurier un homme et le taxer de barbarie, de cruauté

valet : « je suis votre valet » se dit quand on veut refuser poliment de faire ce qu'on vous propose, ou ne pas croire ce qu'on vous dit (équivalent, alors, de : pardonnez-moi)

viande se dit de toutes sortes de nourritures (poissons, légumes, fruits), et non pas seulement de la « chair ». Au pluriel : victuailles, mets

vilain : terme de mépris (au sens étymologique, paysan). S'emploie souvent pour dire : serré comme un paysan, avare

vilanie (ou *vilenie*) : avarice sordide

vol peut signifier : la chose volée

TABLE DES MATIÈRES

RÉFÉRENCES DES ILLUSTRATIONS

GIRAUDON : 15 (haut); ROGER-VIOLLET : 15 (bas); BIBLIOTHÈQUE NATIONALE : 16 (haut); HACHETTE : 16 (bas), 17, 18 (haut); BERNAND : 18 (milieu et bas), 19 (haut); ROGER-VIOLLET-LIPNITZKI : 19 (bas), 20 (haut); BERNAND : 20 (bas), 21 (haut gauche); HARCOURT : 21 (bas gauche); ROGER-VIOLLET-LIPNITZKI : 21 (haut et bas droite).

Imprimé en France — IMPRIMERIE HÉRISSEY, Évreux (Eure) — n° 50187
Dépôt légal : n° 6122-01-1990 — Collection n° 12 — Édition n° 16

16/4654/6